KB077132

# 색의 길

# 색의 길

## THE WAY OF COLOR

고운하 수필집

1980 ~ 2023

부크크

📖

## 들어가는 말


어둠과 밝음을 모두 껴안은 세상이 있다.

내 삶은 일생동안 그 모습을 보고, 느끼고, 생각하고, 앎을 가지게 된다.

이런 경과 속에서 수없는 소산물과 부산물들이 생긴다.

생활의 조각들, 사고와 사건의 조각들, 감정과 이성의 조각들, 지각과 인식의 조각들, 꿈과 이상의 조각들…….

나열은 무의미하다. 사실상 모든 것이니.


거기서 우리가 갖는 것은 극히 적다.

늘 일부를 다룰 뿐이고,

그 일부를 자기만의 진실, 진리, 정의로 표방하며 전체성의 깃발로 삼는다.

그러나 전체성이란 없다. 우리가 생각하고 주장하는 모든 것은 '일부'이다.

나는 오랜 시간 속에서 만난 삶의 일부 조각들을,
'있음'으로써 접하는 아주 작고 작은 조각들을 글로 쓰고 있다.
그리고 글이란 나타내는 성질이 있는 바, 이렇게 나타낸다.

나타내는 것은 자연을 지반으로 한 사물의 양태로서
대체로 상념의 상태로 흐르다가 사색의 폭포를 거치곤 했다.
보고, 느끼고, 생각하고, 알게 되는 것들을 아련하게, 예리하게,
뜨겁게 가슴에 여몄다가,
그를 수필이나 에세이 장르로 조형화시켰다.

조형화된 나의 글은 대체로 삶의 평화를 위한 꿈과 기도의 이미지를 지녔다.

영혼의 양심과 도덕으로부터,

삶의 회한과 각성으로부터,

자연의 존엄과 미관으로부터 알게 되는 바이니,

우리에게 필요한 것은 오직 평화인 까닭이다.


나는 은은하면서도 명료한 중용의 흐름이 나 자신을 얼마나 평화롭게 하는지를 누누이 느껴왔다.

그러나 나는 중용을 체득치 못했고, 그 사실에 한숨을 쉬곤 한다.

체득되지 않으니 조절되지 아니하고,

조절되지 않으니 순탄한 행로에서 벗어난 삶을 살게 되었다.

그리고 이 삶이 얼마나 처절한 일이고, 부끄러운 일이고, 허허로운 일인지를 알게 되었다.

내게 있어 평화로움은 그리운 것이고, 아름다운 것이다.

자잘한 삶 하나하나마다 내가 평화롭고 싶고, 그대가 평화로웠으면 한다.

당연히 모든 이가 중용의 수레를 타고

호수의 윤슬 같은 평화로운 행로를 찾았으면 하는 꿈과 기도가 있게 된다.

부디 그러기를……

이 작고 작은 조각의 수필들로 소망한다.

2024년 2월 5일

고운하

# 차 례

## [2부] 여름 색을 빚다

[3부] 가을 색에 스미다

[4부] 겨울 색에 물들다

어느 것으로건 조금만일지라도,
당신의 세계가 평화로움으로 확장되기를 바라며...

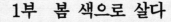

1부 봄 색으로 살다

# 색의 길

벼 익은 노란 들판에 황금색의 왕관을 씌워 풍요와 태평의 군주로 삼지 않을 시인은 없다. 이윽고 황금색이 탈색되어 누런색의 지평이 열리면, 필경 해 저문 심연의 고적을 따라 먼 길을 떠나는 나그네가 되고야 만다.

그런 누런색의 들길을 달리고 있다. 며칠 밤의 서리는 대부분의 꽃 색을 지웠다. 조금만 떨어진 곳에 있어도 잎인지 꽃인지 구분이 되지 않는다. 오직 노란색 산국만이 선명하다.

벼 익은 노란색은 붉은색에 기울어 영광의 금빛을 내지만, 산국의 노란색은 흰색에 기울어 순정의 금빛을 낸다. 따라서 벼는 부자의 마음에 쌓이고, 산국은 소녀의 가슴에 담긴다. 산국을 꺾어 갖다 줄 소녀가 없는 것이 내심 섭섭하다.

들녘 곁의 해맑은 하천에 서서 강변의 붉은 색 나뭇잎들을 배경으로 사진을 찍고 있는 한 쌍의 남녀가 있다. 중년인 그들은 부부일 수도 있겠지만, 그런 다정한 생각을 갖기에는 왠지 모를 어둠의 유희가 엿보인다. 검은색! 여성의 검은색 옷감이 어떤 비밀을 말해주는 것 같기 때문이다.

열정을 어쩌지 못해 환한 대낮에 섰으나, 검은색의 옷으로써 어둠 속에 서 있다는 그녀의 마음! 아무도 자신을 알아보지 못하리라는 가냘픈 몸부림 같기도 하지만, 그래도 그녀는 안전한 듯 웃고 있다. 비밀은 언제나 검은색의 어둠에 가려져 있는 이치에 대한 믿음이 있기 때문일 것이다. 검은색은 그렇게 한 여인의 위안이 되고 있다. 물론 부부가 아닌 전제하에서.

길가의 중화요리 집에 앉아 음식을 기다리는 동안 스포츠 신문을 눈앞에 놓는다. 지면은 전체적으로 붉은색 배경이다. 뜨거운 승부가 달음박질치는 운동장의 열기가 확 퍼져온다. 이것만으로도 스포츠의 열정을 겪으니, 그냥 뒤적이기만 한다.

이윽고 식욕을 충족시켜 줄 즐거운 사람이 온다. 그는 하얀색의 가운을 걸치고 있다. 덩치가 커서 겁이 더럭 나는 사람이지만, '나는 당신에게 즐거운 사람이기도 하지만, 이렇게 청결한 사람이기도 하다'고 하얀색 가운의 응원을 받으며 그는 외치고 있다. 아, 얼마나 좋은 사람인가! 그런 사람의 손에 의해 또다시 붉은색이 눈앞에 놓인다. 당장에 식욕의 열정이 치솟고 삶의 즐거움이 느껴진다. 몇 수저 만에 입안에서 행복에 겨운 눈물이 소나기처럼 쏟아진다.

붉은색, 흰색으로 버무려진 탓에 분홍색 얼굴로 중화요리 집을 나선다. 포만한 배에 만족하며, 지나온 길을 쳐다본다. 조금 전에 본 한 쌍의 남녀가 언뜻 떠오른다. 분홍색에 달은 몸에서 연정이 솟구치는 것이다. 하지만, 식욕의 축제 중에 헝클어졌던 옷을 가다듬게 되자, 이내 고요해져 버린다. 회색의 생활한복 때문이다. 이 회색 옷만 걸치면 도량에 든 기분이요, 이속에 빠진 기분이다.

어느 날 도시의 거리를 무료하게 걷다가 문득 영화를 보고 싶어 영화관 쪽으로 발걸음을 옮겼다. 한참을 걸어 도달한 영화관 앞이었지만, 그러나 끝끝내 들어갈 수가 없었다. 회색의 생활한복 때문이었고, 영화는 아드레날린이 절로 치솟을 만한 액션 영화였다. 결국 내가 간 곳은 명상곡이 울리는 전통찻집이었고, 거기서 조용히 녹차를 마시는 일이었다.

**색의 길**

회색은 내 안의 회초리이자 교육자이다. 목적 없는 인생길에서도 달리 방탕하지 않은 이유는 회색을 즐겨 받아들이기 때문이라고 믿고 있다. 여태껏 경과로 보아 틀림없다.

다시금 달려가야 할 산골짜기 위로 아련한 저녁 하늘이 펼쳐져 있다. 저녁 하늘은 단색이 없다. 무어라 단정할 수 없는 색감이 천공에 가득 차 있다. 은빛 하늘, 금빛 하늘, 옥빛 하늘, 또는 붉은 저녁노을이라고 말하지만, 정녕 그럴까? 저녁 하늘은 혼합과 화합의 색을 지녔다. 하지만, 그 색을 무어라 부를 수 있을까? 딱히 부를 만한 이름이 있을까? 그저 머리에 인지되고 형용된 색을 하나 골라 대충 빗대어 부르는 것이 전부다. 마음은 한없는 평화스러움에 사탕처럼 녹아 달콤하면서도 말은 헛되이 '그저 그래.'하고 투정을 부리는 것처럼, 인력이 미처 닿지 못하는 색임을 느끼면서도 입으로는 그저 그런 색이라는 듯 단색 하나를 툭 내뱉는 것이다.

저녁 하늘에서 눈을 내려 바라보는 지평의 색도 마찬가지이다. 일단은 어스름한 색으로 표현해 놓고 보지만, 그러나 시간이 지날수록 환각에 빠진 듯 온갖 색이 빙빙 돌게 된다. 어스름한 색은 하얀 것도 아닌 것이, 검은 것도 아닌 것이 묘한 회색이다. 그런가 하면, 회색 같으면서도 파란색이요, 파란색 같으면서도 푸른색이요, 푸른색인 것 같으면서도 보라색인가 하여, 무슨 색은 색인

데 도무지 종잡을 수 없는 색이다. 다만 분명한 것은 모정과 고향의 품처럼 포근한 색이라는 점이다.

들판에서 보았던 누런색과 저녁 무렵의 어스름한 색은 일종의 중용 색이다. 그러면서도 대체로 생명이 기우는 색이다. 그와 유사한 노르스름한 색과 희끄무레한 색은 같은 중용의 색이면서도 생명을 피우는 색이다. 이렇게 정 반대편이지만, 손자와 할아버지의 다정처럼 허물없이 친밀하다. 돌고 도는 인생의 윤회를 느낄 만하다.

모든 파스텔 톤의 색들이 그렇다. 극과 극의 단절이 없고, 대립이 없다. 주변에 미치는 모든 것에게 온순하다. 잔물결의 평온함, 산들바람의 간지러움, 초롱불의 오롯함, 이슬비의 촉촉함, 이런 여린 것들의 순수함이야말로 인생의 평화요, 세상의 평화이다.

개울 건너편 산골 마을에 주황색 가로등 불빛이 밝혀져 있다. 그러나 주황색 가로등 불빛은 길을 밝히는 의미를 찾지 못하고 있다. 아무도 지나가지 않기 때문이다. 하지만, 제 뜻대로 이루어지지 않은 상실감은 없다. 주황색 가로등 불빛은 집으로 가는 길을 비추는 것이 아니라, 삶의 저 편의 꿈으로 가는 길을 비추기 때문이다.

꽃 중에도 주황색이 있다. 동자꽃, 능소화 등이 그것이다. 동자꽃은 깊은 숲속의 꽃이요, 능소화는 인가의 꽃이어서 사뭇 다른 환경 속에 자라지만, 두 꽃의 설화는 애절한 기다림과 그리움으로 점철되어 있다. 이 세상에 기다림처럼 갸륵한 마음 없고, 그리움처럼 가녀린 마음 없다. 이 두 마음 역시 삶의 저 편 어딘가를 응시하고 있다.

주황색을 고요히 바라보노라면 지상의 윤회에서 풀려나 아득하고 아득한 영원 속을 유영하게 된다. 그것은 지극한 평화요, 행복이다.


색은 사물을 만들고, 마음을 만든다. 나는 푸르스름한 밤의 하늘색을 벗 삼아 영원히 지속될 창조의 길을 따라 아직도 달려가고 있다. ♣

## 색동저고리가 내 가슴에

색동저고리를 입은 아이가 구부리고 앉아있다. 화사한 햇살 속에 꼼칠 꼼칠 움직임이 있어 단번에 눈에 드는 귀여운 모습이다. 마주 앉은 할머니 입에서 연신 헤픈 웃음이 나온다. 흙에 닿는 옷깃을 보자마자 애지중지한 마음에 급하게 손길을 뻗어 소매를 두어 겹 접어준다. 빨간색, 노란색이 감춰지는 대신 아무리 닦아도 지워지지 않을 백옥 같은 팔이 나타난다. 팔 위쪽으로 남은 연두색, 분홍색, 파란색이 남아 색동저고리의 기색은 그대로 유지된다.

소매가 자유롭게 되어선지 아이의 움직임이 더욱 활발해진다. 그 활발함이 색동저고리와 천연의 조화를 이룬다. 여러 색이 어우러진 색동저고리의 무늬는 알록달록한 무늬여서 현란함이 있고,

활달함이 있다. 한복이 지닌 고운 자태, 고운 몸짓과는 거리가 멀다. 역동적인 셈이다. 그래서 자라는 아이들의 왕성한 에너지를 제대로 받쳐줄 의상이다. 조화로움은 세상 이치의 질서가 되고, 그 질서에 충실해지면 아름다움으로 승화된다. 보고 또 보아도 색동저고리 아이는 아름답다.

가던 길 가지 못하고 아이 곁에 다가선다. '허허, 그놈 참!' 나는 마음을 송두리째 품은 탄성을 터트린다. 색동저고리에 대한 반가움, 아이의 귀여움, 아름다움을 보게 된 기쁨, 명절날 으레 전하는 덕담 등 마음에 고인 찬사가 이렇게 터져 나오는 것이다. 아이야 이해하지 못하겠지만, 같은 노인의 처지인 아이의 할머니는 느낄 것이다. "할아버지, 안녕하세요. 해야지."라며 손녀에게 화답시킨다. 그 직후 아주 잠깐 내가 산중에서 본 꽃 중에 가장 아름다운 노루귀꽃 같은 얼굴이 나타났다. 그리고 진달래꽃 같은 붉은 입술 속에서 내 어릴 적 불어대던 풀피리 소리가 났다. 내가 평생 받은 명절 인사 중에 이런 황홀한 인사는 없었다.

"하..부지, 아녕하때요"

내 생애 최고의 지복처럼 여겨진다. 세월의 변천에 잃거나 잊고 살아야 했던 옛 향기가 나타날 때 우리는 얼마나 마음이 아련해지고 그리워지는가. 또 순박해지고 성실해지는가. 그 옛 향기가 어여쁜 아이에게서 나왔을 때 도대체 누가 행복한 감정이 보름달 같이 부풀지 않겠는가. 이를 위해 선조가 즐겁게 만들어놓은 명절은 꼭 있어야 한다는 생각이 든다. 참 딱하게도 지금껏 이런 생각을 해보지 못했다. 홀로 지내는 명절이 번거롭기만 했다. 즐거운 축제일이라기보다 의례, 예의, 책임, 경제적 상황, 의무 등의 중압감 가득한 의식이 실타래처럼 꼬여오기 때문이다. 그런데 오늘 알았다. 명절이 되면 색동저고리를 입은 예쁜 아이가 나타나 황홀한 인사를 할 수 있다는 사실을.

명절이 아니었다면 맨날 그 사람이 그 사람인, 이 시골 터전에 언제 색동저고리 입은 아이가 나타날까. 홀로 이속적인 생활을 해오고 있는 내게 있어 눈앞의 색동저고리 아이와의 만남까지는 참으로 먼 세월이 장막을 드리우고 있다. 십 년이면 강산도 변한다는 변천으로 말미암아 색동저고리가 멀어져 갔다는 말이 내게서 통할 수가 없다. 시각이 잘 살아있으니 문득문득 눈에 띄어 계속 인지해 오고 있기 때문이다. 그러나 시각 속의 색동저고리는 액자나 격식 속에서 영혼 없이 나타난 것들이었고, 그때마다 내 반응은 건성이었다. 그렇게 건성으로 본 색동저고리는 옷 가게에 수없이 걸려있는 옷들 중 한 개의 옷가지에 불과했고, 돌아서기 무섭게 금방 기억 속에서 지워졌다.

애당초 연이 없었는지도 모르겠다. 어릴 적 나는 엄마가 입히려는 색동저고리가 입기 싫어 발을 동동 굴렀다. 내가 왜 색동저고리를 싫어했는지 모른다. 실랑이 끝에 결국 내 칭얼거림이 승리하고 말았을 정도로 그냥 알록달록한 색이 싫었다. 어쩌면 나야말로 백의민족의 혈통이었을지도 모르겠다. 나는 자라오면서도 희고 깨끗한 옷을 즐겨 했다. 어떤 옷이건 무늬가 든 옷은 지독스럽게 싫어했다. 그런데 아니었다. 청춘의 밝음이 사라지고 나니, 나는 저승사자였다. 위아래로 온통 검은색 일색이 되었다. 흰옷이었을 때는 검은 줄 하나 있어서는 아니 되었고, 검은 옷일 때는 흰 줄 하나 있어서는 아니 되었다. 이러한 고집도 세월이 가니 무뎌지면서 흰색과 검은색이 합쳐졌다. 그에 따라 지금까지 회색을 즐겨 입게 되었다. 물론 이래저래 단색임은 마찬가지다. 알록달록한 무늬 옷은 여전히 익숙지 못하다. 색동저고리도 그렇게 멀어져 있다.

그런데 나타났다. 너무나도 반갑게 나타났다. 현실 속에 있다가 죄 없이 잊힌 것은 언제든 연민이 되고 그리움이 된다. 그리고 우연히 나타났건 꼭 찾고 싶었건 만나서는 반가움이 된다. 오감에 생생하게 와 닿는 만남이라면 더욱 그렇다. 아니면 사랑의 해후처럼 감격스러울 이유가 없다. 물론 귀엽고 어여쁜 아이의 모습을 보는 것만으로도 감격이 있을 수 있지만, 그 감격과는 별개의 문제이다. 내가 딱히 색동저고리를 그리워할 요소는 없지만, 옛 향수로서의 연민만으로도 반가움이 되기에 충분하다. 그렇게 색동저고리는 내 눈앞에 있다.

그런데 다르다. 눈인지 마음인지, 나의 무엇이 달라졌는지는 모르겠지만 다르다. 내 눈앞에는 현란해서 싫었던 알록달록한 색이 있는 것이 아니라 곱고, 예쁘고, 명랑한 한 떼의 꽃무리가 피었다. 도무지 군더더기가 없는 화사한 꽃무리다. 한들한들 흔들리고 까르르 웃는다. 저 모습에 어쩔 것인가. 내 마음도 자꾸만 까르르 웃는다. 아이와 점점 멀어져 가면서도 자꾸만 까르르 웃는다. ♣

# 1980년대 저녁 무렵의 추억

　온화한 마력이 숨 쉬는 거리에 사람들이 쏟아져 나온다. 안식의 활기가 흘러넘치고, 누구 하나 서로의 기쁨을 흩트리는 자 드물다. 이런 저녁 무렵에 나는 진정한 기쁨의 세계를 본다.

　아이들의 활기가 가장 왕성한 때도 저녁 무렵이다. 어머니들은 아이들을 집에 끌어들이려고 안간힘을 써보지만, 번번이 무시당하고야 만다. 그러다가 이웃집 어머니와 눈이 마주치고 나면, 이번에는 배고픈 아이들이 어머니를 집에 끌어들이려고 애를 쓰게 된다. 이런 틈바구니에서는 강아지들도 제 몫을 한다. 뛰고, 뒹굴고, 짖다가 갑자기 달려가는 곳이 있다. 저쪽 골목길에서 누런 과자 봉지를 든 아버지가 나타난 것이다. 실랑이는 끝나고 새로운 평화가 골목길을 따라 집 안으로 들어간다. 그리고 저마다 삶의 생기를 품은 훈훈한 음식 향기를 쏟아낸다.

　저녁 무렵에 만나는 젊은 연인들은 한낮의 커다란 공백만큼이나 커다란 사랑의 미소를 지으며 손을 잡는다. 그리고 당장은 음식점 살피기에 수선을 떤다. 연인들은 많은 음식점 간판의 눈빛을 연방 애처롭게 만들다가 겨우 한 곳에 함박웃음을 준다. 그 후 하루의 경과를 죄다 풀어놓기 시작하는데, 가만히 들어보면 죄다 시시콜콜한 이야기들로 가득 차 있다. 그러나 저녁 무렵의 그들에겐 너무나도 즐거운 이야기들이어서 시종 함박웃음이 끊이질 않는다. 그들의 사랑이 절로 익고 있는 것이다.

　그런가 하면 여름의 모진 더위도, 겨울의 매서운 추위도 결코 저녁 무렵을 이겨 내지 못한다. 저녁 무렵은 공기와 같은 부드러움으로 세상 만물의 기세를 포용한다. 그리고 무언지 모를 희열 속으로 이끈다. 누구든 그 희열을 피하지 못한다. 아주 감미롭게 피하지 못할 사랑의 화살을 맞고, 아주 포근하게 안식의 화살을 맞는 것이다. 누가 쏘든 상관없다. 자연에서 나오는 것. 그 자연스러움만이 있을 뿐이며, 그로 말미암아 인생은 은총을 받는다. 저녁 무렵은 그렇게 인생을 포용한다.

　물론 모든 것을 기대해서는 안 된다. 피해야 할 것들도 있다. 영원한 약속이나 신성한 맹세, 엄숙한 기도 따위는 절대 저녁 무렵에 해서는 안 된다. 너무 감상적이어서 꿈 같이 이루어지는 탓에 현실적 실효성을 갖기 힘들기 때문이다. 저녁 무렵에는 약속은 하되 웃고 넘길 수 있는 약속이어야 하며, 맹세는 하되 저녁 무렵을 넘기지 않는 맹세여야 하며, 기도는 하되 새들이 무사히 둥지에 들 수 있기를 바라는 어여쁜 사랑의 기도쯤이어야 한다.

봄날의 어느 저녁 무렵, 작은 계집아이의 기도 소리를 나는 들었다. 아주 작은 소리였지만 매우 또렷이 들렸다.

"하나님, 저기요. 저 내일 소풍 가거든요. 그런데 엄마가 김밥만 싸주고, 맛있는 과자는 안 사준데요. 그래서 하나님한테 부탁드리는데요, 우리 엄마가 맛있는 과자 많이많이 사주도록 말 좀 해주세요. 음, 그리고 또요. 신발이 더러워 친구들이 놀려요. 그러니까 신발도 좀 사주게 말 좀 해주세요. 앞으로 공부도 잘하고, 엄마 말도 잘 들을게요……."

풀이 죽은 채 쪼그리고 앉아 작은 나뭇가지로 땅을 쓸며 말하는 계집아이의 기도 소리는 그런 내용이었다.

조금 떨어진 곳에는 담배를 피우는 한 남자가 있었고, 그 기도 소리를 들었던 모양이다. 힐끗 소녀를 한번 쳐다보고는 슬며시 담배를 끄고는 갑자기 정면을 응시한 채 움직일 줄을 몰랐다. 그 순간 나는 그가 여자아이와 전혀 관계없는 사색의 남자로만 여겨졌다. 하지만, 조금 전 분명 같이 걸어오는 것을 보았다. 그것은 사실이었다.

남자의 정적은 그리 오래가지 않았다. 무언가 작심한 듯 갑자기 움직여 여자아이 쪽으로 성큼성큼 다가가서는 여자아이를 번쩍 들어 올려 껴안고 오던 길과 다른 길로 걷기 시작했다. 그리고 계집아이 귀에다 뭐라고 속삭이며 멀어져 갔다. 무슨 내용인지는 들을 수 없었다. 하지만, 갑자기 계집아이의 명랑한 웃음이 울려 퍼졌고, 그 수정 모빌소리 같은 명랑한 웃음소리는 분명히 자신의 기도가 받아들여진 웃음소리였다. 순간, 황혼과 함께 나의 얼굴이 발갛게 물들었다.

낙조에 물든 저녁 무렵에 사랑과 정의 풍경을 발견하는 것은 그다지 어려운 일이 아니다. 나는 신을 인정하고 또 경의를 표하는 편은 아니지만, 이런 때에는 감히 신도 친구로 삼을 수 있다. 아니, 그 무릎 아래에서 깊은 경의를 표할 수도 있다. 어떤 내용이건 작은 계집아이의 기도 소리만큼은 틀림없이 들어줄 테니 말이다.

고향을 떠난 자로서 늘 그리워하는 고향은 우리 개개인의 고향이지만, 저녁 무렵은 언제 어디서건 우리 곁에 있는 우리 모두의 고향이다. 저녁 무렵이 우리 모두에게 안온하고 평화스러운 마음

색의 길

을 주는 것은 이런 이유이기 때문이다.

그러나 떠나온 고향을 말하는 사람은 많아도 저녁 무렵을 말하는 자는 드물다. 저녁 무렵은 머나먼 곳에 있는 것이 아니라, 눈앞에서 심장처럼 뛰고 있기 때문이다. 누가 하루하루의 일과 중에 매번 심장의 뛰는 소리를 듣고 있겠는가! 심지어는 한해 한해의 경과가 지나가도 마찬가지이다. 중추적인 혜택을 받고 있을지언정 익숙해진 것에 대한 무관심의 태도를 지니는 것이 우리 인간이다. 시인이나 의사와 같은 특정한 사람들의 의식 속에서만 비로소 심장은 이야기된다. 그렇듯이 저녁 무렵도 이와 유사한 경과로 잊혀 있는 것이다.

다행히 저녁 무렵은 잊혀도 설움 없이 태평이다. 심장은 더러 상처를 입기도 하지만, 상처받을 일 없는 저녁 무렵은 그 기력을 전혀 잃지 않는다. 어떤 원망도, 어떤 배척도 없이 평화로울 뿐이다. 단지, 나그네에게 있어서는 눈물의 시련이다. 걸핏하면 타지에서 방랑하거나 홀로 기거하는 나에게 그것은 틀림없다.

스쳐 지나는 마을과 마을의 저녁 풍경은, 그 모든 것이 어머니의 품과 같다. 마을을 감싸 안은 연무를 비롯하여 이름을 알 수 없는 고기 굽는 냄새, 즐거운 새 떼들의 지저귐, 그리고 따뜻한 안방의 반짝이는 텔레비전 앞에서 옹기종기 저녁을 먹는 가족의 풍경을 온화하게 펼쳐 놓고 있다. 그러한 풍경을 그리움만으로 훔쳐보는 나는 나의 한없는 고독에 기대어 풀 죽고 만다. 속절없이 눈시울에 젖는다. 저녁 무렵을 원망할 수가 없다. 오직 나를 나무랄 뿐이고, 불현듯 삶에 진지한 염원을 품으며 경건해진다.

그 후에는 이상하리만치 어김없이 집이 떠오르고, 공중전화기를 찾는다. 이내 어머니의 다급한 음성이 들려온다.

"지금 어디 있는데? 밥은 먹었어?"

이제 돌아오라는 어머니의 묵시적 호소가 기적소리처럼 마음을 울린다. 걱정하지 말라는 무뚝뚝한 나의 대답에 아무도 모르는 애수가 흐르고, 향수가 흐른다. 그리고 나는 어느새 집 쪽을 향한 길을 바삐 걷고 있다. ♣

# 댄서, 그 자생의 꽃들

　몇 가지 이유로 상당한 소요가 일어나는 댄스공연이다. 한여름의 강렬한 햇살 아래 온통 드러내놓은 미끈한 몸매와 흰 살결이 그렇고, 원색적 무복이 푸른 녹음을 배경으로 강렬하게 펄럭이는 것도 그렇고, 댄서들이 외국 여성들이라는 것도 그렇다. 그녀들의 율동을 경쾌하게 받쳐주는 빠른 박자의 배경음악도 마찬가지다. 이 모든 요소가 단순할 수가 없다. 한순간 시작되는 현란함으로 말미암아 공연히 시작되기가 무섭게 사방팔방에서 다양한 형태로 피서를 즐기던 얼굴들이 물가의 작은 수변 무대로 쏠린다.

　도시인들의 이방인이 되어버린 밀짚모자를 쓴 나도 저들의 눈에 들리라. 내가 있게 된 위치가 바로 무대 곁인 까닭이다. 이렇게 가까운 곳에서 바라보는 공연이기에 여성 댄서들의 짙은 화장까지 뚫고 들어가 주름과 나이까지 가늠할 정도이고, 그녀들의 분향과 숨결 소리까지 들을 정도이다. 그녀들 생명의 활기가 순식간 내 심장박동에 활력을 준다. 지척에서 손뼉을 크게 친 탓에 그녀들의 눈웃음까지 얻는 즐거움은 노인인 내 얼굴에 순정의 부끄러운 화색을 물들이기까지 한다. 그냥 지나쳤으면 참 억울했을 만한 일이다.

무대 뒤가 길인데 그 길로 자전거를 타고 가던 나는 그냥 지나칠 수도 있었다. 그러나 지나치는 순간 공교롭게도 음악이 튀밥처럼 요란스럽게 터져 나와 코를 절로 킁킁거릴 만한 구수한 냄새를 풍겼다. 귓전에 울리는 명랑하고 경쾌한 낯선 음악은 우리나라 풍의 음악이 아니요, 그 음악을 실어내는 웅장한 음향은 자연의 소리만이 세월을 적시고 가는 이 시골 땅에 낯익은 소산물이 아니었다. 신기함만으로도 가던 길 멈춰 서는 명분이 되기에 충분했다.

뜬금없이 묶여버린 발. 평소 사람들의 축제에 무심함을 갖고 있던 나의 태도가 우습게 되었다. 그러나 이것은 새로운 세계로 변화를 이끄는 일임을 자각하게 하며, 흥미로운 일임을 판단케 한다. 이 순간부터 나는 눈앞에 펼쳐지는 현장을 아낌없이 받아들이기로 한다. 여차하면 떠나려고 부여잡고 있던 자전거를 아예 정착시켜 놓고, 축대로 쌓여 있는 돌바닥에 주저앉아 무대로 시선을 돌린다. 순식간 제대로 공연을 즐길 준비를 한 것이다. 동시에 1막이 끝났

색의 길

고, 곧바로 더욱 열정적인 음악이 터진다.

옷을 갈아입는 속도가 전광석화인지 빠른 음악의 박자에 걸맞게 댄서들의 등장도 빠르다. 해바라기처럼 환한 반라의 미녀들은 목석같은 내 눈에, 또는 이 푸른 골짜기에 여왕들처럼 군림해도 전혀 이상할 것이 없다. 역시 그녀들은 불볕에도 굴하지 않고 턱을 도도하게 치켜들고는 들고는 거침없이 무대를 휘젓는다. 그녀들이 흰 살결이 수면을 튀는 숭어처럼 반짝이고, 그녀들의 원색 무복들은 인생의 삶과 의식에 대해 매우 명료한 감정을 나타낸다. 화장과 미소로 무장한 표정은 레드카펫 위에 선 여배우 이상의 기품과 영광을 받는 양 태양처럼 빛난다. 참으로 매혹적이다.

댄스는 그녀들의 백옥 같은 팔다리와 허리에서 나타난다. 춤은 분별 되지 않고 어떤 때는 브라질의 삼바로 여겨졌다가 어떤 때는 스페인의 플레밍고 댄서, 레징카댄스, 파리의 물랭루즈 캉캉 같은 춤으로 여겨진다. 아쉽게도 내가 가장 좋아하는 티베트 장족의 춤은 없지만, 어느 춤이건 춤에 대한 전문적 지식이 없고 정확한 분별력도 없다. 그러나 댄서들의 신체 부위가 갖는 태도에 따라 분위기가 달라지고 거기에 생활 속에서 획득된 상식이 작동되어 무의식적으로 어떤 춤은 열정의 삼바 댄스요, 어떤 춤은 순결한 레징카 댄스요, 어떤 춤은 요색의 캉캉 댄스라는 느낌은 어느 정도 갖는다. 더군다나 음악의 리듬이 춤의 종류에 따른 분위기를 조율

하고 있어 도움을 받기도 한다. 하지만 메들리로 연결되는 배경적 역할을 하는 탓에 음악 역시도 정확히 구분되는 것은 아니다. 거의 대체로 신체 부위의 유연성과 격렬성에 따라 색다른 춤의 맛이 피어오를 뿐이다.

신체의 몇 부위만으로 다양한 춤의 해석을 끌어내는 그녀들은 대단한 댄서들이다. 비록 시골의 작은 축제 무대에 올라서 있지만, 그녀들이 장악한 이 순간의 시공간은 하나의 크나큰 세상으로 누군가의 인생이 삶의 확장성을 갖도록 하는 데 있어 부족함이 없어 보인다. 나 또한 그녀들의 화려한 율동에 매혹되어 삶이 유연해지는 의미와 열정적인 삶의 가치를 은연중에 얻고 있지 않은가! 아무런 대가 없이 발만 멈추고 앉아 즐기고 있다는 사실에 미안한 감정이 들 정도이다. 특히 격조에 관한 생각이 떠오르지 않을 수 없다. 저들 댄서들의 예술적 율동과 이곳 시골, 자연, 그리고 나에 대한 조합이 어떤지가 새삼스럽게 의식된다.

화려한 댄서들의 예술적 율동과 시골은 아무래도 이질적이다. 만약 관객들이 죄다 나 같은 촌로나 농부들이었다면 이 공연은 어떤 모습이 될 것이며, 댄서들에게 농부들이 농부들에게 댄서들이 어떻게 보일까? 혹 서로에게 멋쩍은 모습은 아닐까? 이 장면에서 남모를 웃음이 터진다. 밀짚모자를 쓰고 고무신을 신은 채 화려한 문명의 예술을 접한답시고 퍼질러 앉아 있는 내 꼴 때문이다. 다행히 피서철에 힘입어 관객 대다수는 문화를 많이 접하는 여유만

색의 길

만한 도시의 피서객들이다. 댄서와 자연은 서로에게 순수일지 모르겠다. 불순한 감정 없이 동화되는 모습을 어렵지 않게 떠올릴 수 있다. 다만 화려한 무복이 현란하게 움직이는 댄스만큼은 푸른 숲에 이단적인 모습일 될 수밖에 없다. 하지만, 나는 안다. 공작새의 화려한 깃털, 물고기 베타의 현란한 지느러미와 같은 특이점이 있는 자연의 신비를. 그러니 이도 조화롭다. 모든 것을 수용하는 자연의 포용력에 대한 믿음만이 확인된다.

불볕더위인 데다가 집중도가 낮은 열악한 공연 환경임에도 불구하고 그녀들은 화려하면서도 격렬한 개화의 절정을 펼쳐준다. 자생의 꽃들과 같다. 아무리 고적하게 자랐어도 자기 생애에 치열한, 그래서 충만한 힘을 갖고 보란 듯이 피어나는 꽃들, 그녀들은 자신들의 춤 공연에 이처럼 정직하고 충실한 꽃들이다. 어찌 아름답지 않을까. 눈이 시큰할 정도로 보고 또 빤히 본다. 정말 아름답다.

나에게 뜬금없는 이 공연은 사실상 나의 혼이 머리를 조아려야 큰 영광의 공연이다. 공연이 끝나자 세상이 한층 풍요롭게 보이는 것은 당연하다. ♣

# 꿈의 즐거움

일찍 침대에 누워 편안하게, 깊이, 그리고 마음껏 자는 온전한 잠을 잤을 때는 꿈이 그다지 활발하지 않은 것 같다. 이 경우 꿈을 잃는 셈이어서 정말 달갑지 않다. 내 존재 속의 어떤 세계, 나아가 내 존재를 뒤덮어 오는 어떤 하나의 세계를 잃는 기분이 드는 까닭이다.

나는 되도록 꿈을 꾸기를 바란다. 생생히 살아서 내 현실로 구가할 수 없는 어떤 재미, 모험, 비상, 위대함, 평화, 행복 등이 내 존재의 구석구석을 장식하기를 바란다. 그로써 또 하나의 인생을 살게 되는 것이며, 그 인생은 나에게 있어 크나큰 위안이다.

그러나 꿈은 내 의지의 소산물이 아니다. 초대장을 보낼 수 있는 것도 아니요, 예약 손님으로 자리를 맞춰놓을 수 있는 것도 아

**색의 길**

니다. 한정식처럼 마음껏 골라 먹을 수도 없다. 꿈은 바람이다. 자기 마음대로 왔다가 가버리는 역마살 낀 나그네다. 참 애증의 연인이다.

그런 꿈이 근간에 부쩍 많아졌다. 덕분에 내 감정이 밤낮없이 왁자지껄하고 즐겁다. 현실적인 것이 아닌 관조의 감정인 탓에 천일야화와 같은 연극을 매일 관람하는 기분이니 어찌 즐겁지 않을까.

생각해 보면 이렇게 꿈이 많아진 것은 지극히 고요한 밤의 시간을 아끼는 내 심사가 원인인 것 같다. 밤은 내게 언제나 중요한 상념의 세계가 되어 주기 때문에 잠을 청하기가 매우 아깝다. 그래서 늦은 잠을 실컷 잘지언정 일찍 잠들기를 꺼린다. 그 때문에 나의 잠은 새벽 가까이 이르러서야 시작되는 습성을 지니게 되었다. 여기서 내가 좋아하는 꿈의 작동이 시작된다. 그것은 이렇다.

잠을 참고 참다가 새벽에 든 잠은 대체로 선잠과 같아서 눈을 감는 순간 현실과 꿈 사이의 어떤 공간을 만든다. 그 공간에는 마치 필름이 끊긴 채 돌아가는 화면같이 무엇인가 번뜩이는 섬망이 잔뜩 채워지곤 한다. 이때 나는 특이한 행동을 한다. 그 막연한 시공간에서 내가 바라는 내용을 각색하기 시작하고, 꿈이 그대로 이루어지도록 용을 쓴다. 당연히 될 리가 없다. 각색된 내용은 와장창 깨진 거울에 비쳐 형체가 뒤죽박죽이 된 모습으로 번쩍이다가 어느 순간에 사라지고 만다. 제대로 잠에 빠져 버리고 만 것이다. 상식적으로 이해할 수 없는 행위지만 분명 그런 시도가 있다. 그런 노력에도 불구하고 비몽사몽간에 이루어진 일인지라 제대로 성공했는지는 전혀 알 길이 없다. 단지 깨어나면 어김없이 어떤 꿈을 꾸었고, 그 꿈의 윤곽을 더듬어 감상적이 될 뿐이다. 물론 잠이 들 무렵 시도했던 꿈과는 생판 다른 꿈이다. 어쨌든 참았다가 잠드는 비몽사몽 상태에서 꿈이 가장 활달하게 일어나는 것 같다. 꿈을 좋아하는 나로서는 이 정도의 꿈을 근원을 찾아낸 것만으로도 신명이 나는 일이다. 매일 이런 상태에서 꿈을 낚아내고 싶다.

꿈을 꾸고, 그 꿈이 기억에 생생히 남을 때, 실제로 나는 여러 가지 감정을 갖는다. 그립고, 슬프고, 이상하고, 신비하고, 우습고, 기묘하고, 궁금한 그런 감정들이다. 다행스럽게도 매우 오랫동안 악몽을 꾸지 않았기 때문에 내가 갖는 감정은 나를 무척 매혹시키는 것이어서 한동안 부여잡고 있으려고 애를 쓴다. 그러나 번번이 실패하고 만다. 꿈이 아무리 생생할지라도 어떤 장면만 선명할 뿐, 제대로 된 이야기는 전개되지 않기 때문이다.

선명한 장면일지라도 마찬가지다. 영상에 담거나 사진을 찍어 둘 수 없고 보면, 오래가지를 않는다. 그렇다고 금방 사라지는 것은 아니다. 하루를 더 갈 수도 있고, 몇 날 며칠을 더 갈 수도 있다. 또는 먼 훗날에 문득 기억날 때도 있다. 그러나 시간이 흐를수

색의 길

록 나타나는 꿈은 시든 꽃처럼 매력을 잃는다. 화사한 꽃으로서의 매력은 대체로 하루 정도에 그치는데, 잠이 깬 직후라면 그대로 화사할 수 있지만, 시간이 지날수록 우연의 기억에 기대게 된다. 즉 아침에 일어나면 무슨 꿈인가 꿈을 꾸기는 했는데, 도무지 기억나지 않다가 오후에 문득 무슨 일을 하는 중에 우연히 덜컥 생각이 나곤 하는 것이다.

그런 경우를 가만히 생각해 보면, 생각난 꿈이 자신이 하고 있는 어떤 사항, 또는 어떤 것과 연상되는 경우가 많다. 가방을 거머쥐다가 문득 어젯밤 꿈에 가방을 잃어 찾아 헤맸던 꿈의 기억이 떠오르게 되는 경우이다. 이때 우리는 이런 생각을 할 수 있다. 혹시 오늘 가방을 잃는 것이 아닐까 하고 말이다. 꿈을 예언으로 삼는 이유가 바로 여기에 있을 것이다. 실제로 아침에 일어나 생각나는 꿈이 누군가의 얼굴이었는데, 지하철 속에서 정말로 그를 만나게 되기도 한다. 그리고 꿈 이야기를 하며 웃기도 한다. 도대체 이것이 무슨 조화인지 참으로 신기할 수밖에 없는 것이 꿈이다.


꿈은 무궁한 변화를 일으킨다. 꿈의 변화는 인간의 심원한 내력이기도 하다. 한 개인의 운명과 역사와 체험을 담고 있다. 그리운 연인과 부모가 나타나 무슨 즐거운 일을 하기도 하고, 무엇 때문인지 그들에게 투덜대기도 한다. 매우 낯선 얼굴인데도 어릴 적 친구라는 생각을 갖고 둘이 무언가를 만들고 있기도 하고, 박봉으로 말미암아 퇴직하게 된 직장의 경영자와 만나 원망은커녕 그가 좋아할 멋진 영업계획을 말해주기도 한다. 이런 것들은 대체로 지나온 삶에서 있었던 사실들을 기반으로 만들어지는 모종의 관계 설정이다.

그런데 꿈이 늘 아쉬운 것은 사방팔방 어디로 튈지 모른다는 점이다. 영락없이 봉선화 씨앗 같다. 그런가 하면 꿈은 결말이 없이 뒤죽박죽 얽힌 미로와 같다. 오직 이곳저곳을 헤매게 한다. 이것은 정말로 아쉽다. 사랑했던 사람을 만나 달콤한 포옹을 하려는데, 갑자기 불난 집의 불을 끄고 있는 내가 되어버렸을 때, 그처럼 아쉬운 것이 도대체 어디 있겠는가!

어젯밤 꿈만해도 그렇다. 어느 고갯마루에서 아름다운 강변이 바라보며 집을 지을 내 땅이 바로 저곳이라는 행복한 생각을 하고 있었다. 그리고 그곳을 향해 즐거이 가고 있었는데, 어느 순간부터인가 엉덩이가 저리도록 험준한 바위 지대를 헤매고 있었고, 그곳을 어렵게 벗어나는가 싶었는데, 이내 아이들이 뛰어노는 운동장 한편에 앉아 감자를 깎고 있다. 꿈은 내 소망과 의지와 상관없이 나를 아무렇게나 영 엉뚱한 곳에 튕겨버린 것이다. 이보다 기막힐 노릇이 어디 있겠는가!

깨어나 생각해 보니 너무나도 아쉽고, 원통한 일이었다. 그도 그럴 것이 내 갈망은 아름다운 자연의 정경이 있는 내 땅에 오두막집을 짓는 일이다. 나에게 있어 정말 크나큰 소원이다. 그런데 돈이 없으니 한숨만 짓고 있는 형편이다. 이런 와중에 꿈은 내게 아름다운 곳의 땅을 주었고, 그곳에 집을 지을 수 있는 행복을 주다가 갑자기 감자를 깎고 있는 결말로 만들어버리니 어찌 원통치 않을까. 연인과 입맞춤하고 아기까지 낳고 나서 불난 집의 불을 끄게 하던가, 내 땅에 오두막집을 짓고 나서 운동장에 앉혀 놓고 감자를 깎게 한다든지, 이런 배려가 있어 주면 얼마나 좋은가. 이 세상에서 가장 심보 고약한 놀부가 있다면 그것은 바로 꿈이다.

헌데, 이 세상에서 가장 선한 흥부가 있다면 그것 또한 꿈이다. 절벽에 떨어질 듯한 아슬아슬한 상황에 있다가 금세 멋진 레스토랑에 앉아 친구와 무슨 이야기를 나누고 있게 하거나, 멧돼지 같기도 하고 소 같기도 한 험악한 짐승에 쫓기다가 막 부딪칠 찰나에 갑자기 길거리 보도 위에 앉아 매우 아름다운 노래를 부르고 있게 한다. 나 스스로 감격해 눈물까지 줄줄 흘리도록 하면서 말이다. 이보다 선한 배려가 어디 있겠는가!

특히 꿈이 지닌 가장 큰 선행은 무조건 나를 주인공으로 만들어 놓는다는 점이다. 꿈속에서는 어떤 일이 일어나도 내가 주인공이다. 이는 누구 앞에도 나서지 못할 미천한 신세로 평생을 살아온 내게 정말 최고로 멋진 일이 아닐 수 없다. 수많은 군중 눈앞에서 하늘을 고고하게 날아오르게 되었을 때, 나는 신이 되기도 했다. 꿈이 아니면 1미터도 뛰어오르지 못한 신세로서 하늘을 나르게 된다는 자체만으로도 이미 기적이다.

이 밖에도 꿈은 현실의 도피처이기도 하고, 영영 만날 수 없는 것들과 따뜻한 해후 장소이기도 하다. 그리고 좋은 행운을 얻기 위한 소망의 기도처임도 틀림없다. 아마도 돼지꿈이 그 상징이 될 것이다.

만약 하늘이 내게 소원 하나를 말하라고 한다면, 명예나 돈 욕심은 전혀 없고 오로지 이런 소원 하나를 말하고 싶다. 부디 영원한 꿈의 세계에 살 수 있도록 해 달라고 말이다. 시공간을 초월하여 별의별 상황을 만나게 되는 꿈. 그 환상적인 꿈의 세계 속에서 언제나 주인공으로 살아간다는 것! 미천하고, 제한되고, 한숨만 쉬는 인생을 보내는 내게 얼마나 멋진 일이겠는가! 물론 죄를 짓고 쫓기거나 가위눌리는 악몽은 당연히 아니어야 한다. ♣

# 이 좋은 봄날에

봄이 되니 꽃들이 마구 피어난다. 담장 안팎으로 첩첩만첩 꽃들의 시간이다. 사람의 마음에 요동이 있을 수밖에 없다. 아지랑이처럼 피어난 따사로운 마음이 담장 넘어 들판을 훑더니 결국 상춘객이 된다. 먼 길의 여로를 갖는 상춘객이 아니라 고무신 신고 산책을 하는 상춘객이다.

그렇게 갈 수 있는 멋진 곳이 집 근처에 있기도 하다. 수려한 강산에 힘입어 아름다운 풍경을 지닌 [수승대]라는 명승지다. 명승지인 탓에 조경도 녹록치 않다. 길이면 길, 화단이면 화단, 공원이면 공원, 요소요소에 맞춤옷을 입히듯 벚나무, 개나리, 조팝나무 등을 알맞게 심어놓았다. 해마다 봄이면 이것들이 앞 다퉈 피면서 만화경을 이뤄놓는다. 꽃구경을 작심한 이 사람 저 사람이 아니 몰려들 수 없다. 저마다 화첩을 품기로 작정을 한 듯 꽃 곁에 서서 순간의 멋과 기쁨을 새긴다. 그 얼굴들에 무상한 회색 돌랴. 너와 나 온통 꽃물 들어 화색이다.

올해도 똑같다. 슬금슬금 걸어 드니 온통 화색이다. 그런데 나는 화색이 아니다. 그들 무리에 섞이지도 않는다. 꽃구경이 아닌 봄기운에 떠나온 것인 데다가 혼자인 탓에 벚나무 아래 서기도 멋쩍고 개나리 곁에 앉기도 멋쩍은 신세여서다. 나는 애당초 이 현실을 알고 있기에 솔솔바람처럼 인파 사이를 가볍게 빠져나와 외진 곳을 찾는 선택을 했다. 그리하여 금세 사람들이 아니 드는 호젓한 하천변 흰 바위 위에 고요한 섬처럼 앉아 있다. 이러한 나의 색은 회색도 아니요, 화색도 아니요. 무색이다. 그저 고요히 평화롭게 봄의 정경을 바라보고 있는, 웃음을 띨락 말락 한 미소 같은 무색이다.

바로 건너편에는 잘 닦인 하천의 벚꽃길이 있어 사람들의 왕래가 왕성하다. 그러나 그들의 모습은 관조적인 내 시선으로 인해 현실의 작태로 보이지 않고 시공간을 넘은 세계의 영상으로 전개된다. 저마다 봄나들이 취한 그들의 명랑한 행동 하나하나가 아름다운 연출이 되어 참, 사람 살만한 느낌을 전해준다.

그런데 조금 전부터 어떤 동행자들이 나타났고, 그들의 작태는 이내 나의 관념을 지배하는 연출의 중심이 되었다. 짝짝이 또는 삼삼오오로 지나가는 대다수가 화색에 물들어 즐거운 분위기인데, 이 커플은 발견 때부터 무언가 색다른 분위기를 나타내고 있기에 특별히 눈에 들 수밖에 없다.

30대 연령으로 보이는 남녀 중 남자는 약간 마른 체구에 이제 막 기르기 시작한 듯한 옅은 구레나룻 수염의 얼굴을 가지고 있는데, 차분하고 생각이 많을 것 같은 느낌이 드는 얼굴형이다. 그에 비해 여자는 키가 작고 약간 통통한 편인데 머리를 뒤로 묶고 있어 문득 조선의 여인상을 생각나게 한다.

둘은 전체적으로 옷차림도 그렇고, 분위기도 그렇고 수수한 느낌이다. 나쁜 느낌은 아니지만 당장에 드리우고 있는 봄의 화사함을 생각하면 왠지 기분이 처지는 느낌인데, 특히 이것을 증명하는 것은 발견 때부터 둘 사이에 좀처럼 다정한 감이 없다는 점이다. 딱 지적하자면 시종일관 남자는 앞서 걷고 여자는 서너 걸음 뒤에서 졸졸 따라가는 사뭇 이상스러운 보행을 하고 있다는 것이다. 떨어져 있으니 대화가 없는 것도 당연하다. 이런 저들이 특히 눈에 든 것은 영락없는 나의 아버지 어머니 모습이기 때문이다.

아버지 어머니를 따라 나들이할 때 보면, 아버지는 등 뒤에 남은 세상이 아무것도 없는 듯 절대 돌아보지도 않고 혼자서 터벅터벅 걸어가고, 어머니는 그저 앞 세상이 오로지 아버지뿐인 듯 아버지 꽁무니만을 열심히 졸졸 따라가는 모습을 보였다. 그 탓에 걸음이 작은 나만 둘 사이에서 고생하곤 했다. 아버지의 무심한 그런 모습 때문인지 나는 도통 아버지와 친해지지 못했고, 끝까지 대화 한 번 제대로 나눈 적 없이 이별을 갖고 말았다.

여자가 뒤에 따라오건 말건 저 홀로 터벅터벅 걸어가는 남자도 아버지처럼 그렇게 자기 심혼만을 갖고 멀어져 가는 것을 느끼게 된다. 도대체 둘이 왜 봄나들이를 나왔나 싶다. 혹 남자는 마지못 해 나왔을까? 알 수 없지만, 어떻게 나오게 되었건 이왕 나온 것, 이 좋은 봄날에 저 미아 같은 여자를 좀 챙겨 다정히 걸어 줄 수 있는 일 아닌가!

한 번도 내 쪽으로 얼굴을 돌린 적이 없어 여자의 기분이 좋은 지 나쁜지는 모르겠다. 다만 여자는 둘 사이의 분위기와는 조금 다르게 분명 봄과 꽃구경을 즐기고 싶어 하는 것 같다. 무성한 벚 꽃을 향해 얼굴을 드는 것도 보이고, 조팝나무꽃 흰 무리에 다가 서기도 하고, 봄까치꽃이나 제비꽃이라도 보았는지 땅을 향해 허 리를 굽히기도 한다. 그러다가 너무 뒤처진다 싶으면 종종걸음으 로 무심히 앞만 보고 걷고 있는 남자를 따라붙는다.

나름대로 자유로운 모습인데, 저런 것을 보면 둘 사이에 무슨 불편한 사연이 있는 것도 아닌 것 같다. 그저 남자만 뒤돌아봐 주 고, 지켜봐 주고, 곁에 나란히 서주고, 마음에 없는 말이라도 한 마디 건네주면 모든 것이 정말 아름다워질 것 같다. 봄꽃들을 대하는 여자의 모습을 보면 여자도 분명 그것을 바라는 듯한 느낌인데 말이다.

물론 두 사람의 사연도 모르고 여자의 마음도 모른다. 다만 모든 이들의 화색 얼굴처럼 둘 사이에도 다정한 화색이 피어났으면 하는 갈망이 신성한 기도처럼 일어난다. 그러나 사뭇 긴 하천길이 끝나가도록 둘 사이의 간격은 끝끝내 좁혀지지 않는다. 그런 중에도 하나하나의 꽃들에서, 풍경에서, 봄기운에서 즐거움을 찾으려는 여자의 아기자기한 모습은 자꾸만 예쁘게 여겨진다. 그러나 저 예쁜 모습은 무심한 남자로부터 버려져 있다. 이렇게 되자 너무 무심한 남자의 태도에 내가 안달이 나는 지경이 된다. 가슴을 간질이던 봄의 평화가 속절없이 깨지고, 열불에 보골보골 끓어오르는 이상 징후가 아니 일어날 수가 없다. 이 좋은 봄날에 말이다.

♣

만약 하늘이 내게 소원 하나를 말하라고 한다면, 돈 욕심은 전혀 없고 오로지 이런 소원 하나를 말하고 싶다. 부디 영원한 꿈의 세계에 살 수 있도록 해 달라고 말이다.

시공간을 초월하여 별의별 상황을 만나게 되는 꿈. 그 환상적인 꿈의 세계 속에서 언제나 주인공으로 살아간다는 것! 미천하고, 제한되고, 한숨만 쉬는 인생을 보내는 내게 얼마나 멋진 일이겠는가!

—「꿈의 즐거움」 중에서

## 고향의 그 나무

그 나무를 볼 때마다 반드시 가는 곳이 있다. 신체의 이동이 아닌 혼의 이동으로 시간을 넘어 공간을 넘어가는 그곳은 고향이요, 어린 시절이다. 그 나무가 서 있으면 어린 시절 내 고향이 숙명처럼 선명하게 눈앞에 어린다.

내 고향은 경남 서부 내륙의 산간 지역이면서도 작은 들판 가운데 있고, 마을 바로 앞으로 포장하지 않는 자갈길이 흰 줄기로 뻗고 있

**색의 길**

었다. 그 길은 샛길이 아니라 도시와 도시를 잇는 신작로였다. 또한 책보자기를 어깨에 둘러메고, 양철 필통의 몽당연필이 달그락거리는 소리를 들으며 학교로 뛰어가는 등굣길이기도 했다.

신작로는 어린 나의 눈에 여러 가지 모습을 나타냈다. 여러 모양의 차가 하루에 고작 몇 대 정도만 오갔다. 그들이 지나칠 때마다 어김없이 뽀얀 먼지가 뭉게구름처럼 피어오르는 모습이 있었다. 나와 친구들은 손바닥으로 입을 꾹 막고는 그 속을 허우적거리며 헤엄치듯 뒤따르곤 했다. 어디서 생겨났는지 모르겠지만, 나와 친구들에는 말굽자석이 한두 개씩은 있었다. 그 말굽자석을 끈에 묶어 신작로를 질질 끌고 다니면 이런저런 쇳조각들이 달라붙었다. 워낙 덜컹대는 신작로다 보니 차에서 떨어지는 쇳조각이 많았다. 그것들을 몇 날 모으고 모아 엿이나 아이스께끼를 바꿔 먹곤 했다.

그런 우리의 모습을 어김없이 지켜보는 것이 있었다. 차 조심을 하라는 동네 어른들의 시선이 아니었다. 울타리처럼 가지런히 서 있는 키 큰 나무들이었다. 그 나무들은 신작로 양가로 깡충깡충 뛰어 50보 정도의 간격마다 어김없이 서 있었다. 그리고 아주 멀리까지 이어져 있었다. 그러나 기분 좋게 서 있어 보이지는 않았다. 메마른 날에는 먼지를 뒤집어쓴 모습이요, 비 내리는 날에는 아랫도리가 흙탕물로 엉망진창인, 늘 그런 모습이어야 했기 때문이다.

그 모습으로 인해 좋아할 나무는 아니었지만, 그렇다고 멀리 할 나무는 아니었다. 한여름 하굣길의 그늘막이 되어주는 나무이기도 했고, 매미를 잡는 나무이기도 했으며, 가지를 꺾어 피리를 만드는 나무이기도 했다. 또한 신작로 가에 있는 우리 집 바로 앞에 있는 나무여서 대문만 열면 보게 되는 탓에 어쩔 수 없이 질긴 인연을 가질 수밖에 없었다.

그 나무는 신작로 가에만 서 있지 않았다. 신작로 반대편에 있는 마을 앞 개울가에 서 있기도 하고, 들판을 빙 둘러있는 높고 낮은 산들의 기슭에도 여기저기 서 있었다. 나그네처럼 한 그루만 서 있는 경우는 있지만, 대부분 화목한 가족처럼 서너 그루 정도로 무리를 이루며 서 있었다.

신작로가 아닌 곳에 서 있는 그 모습은 신작로의 우중충한 모습과는 사뭇 달랐다. 양반의 삶처럼 우아해 보였고, 늘 다가갈 수 없는 저 먼 곳에 있는 듯했다. 풀을 먹이려 끌고 나간 소의 목줄을 묶는 나무로 이용하면서도 말이다.

그 나무에 소를 묶어 놓으면 그렇게 마음 편할 수가 없었다. 아무리 힘센 소라도 절대 이겨내지 못할 힘에 대한 믿음이 있었다. 그 때문에 그 나무에 소를 묶어놓게 되면 무한한 자유가 찾아왔다. 소를 잊은 듯 수영을 즐기며 놀았고, 천렵하려고 개울가 위, 또는 아래로 까마득히 멀어져 가기도 했다. 그렇게 정신없이 놀고 왔어도 소는 언제나 그 나무에 묶인 채 풀을 뜯어 먹고 있거나 점잖게 앉아 쉬고 있었다.

그 나무가 정말 대단한 것은 나무젓가락 같은데도 그렇게 힘 있게 서 있다는 것이다. 나무젓가락이 서 있기 힘들 듯이 절대 서 있을 수 없을 듯싶은데도 노대바람이 불고 왕바람이 불어도 넘어지는 것을 보지 못했다. 하지만 그 모습에 어떤 감흥이 일으킨 것은 없었다. 그 나무에 깊은 감흥을 지니고 좋아했던 것은, 그 나무가 서 있는 곳의 풍경이었다.

자연의 풍경이란 어떤가. 들녘의 선, 강물의 선, 산맥의 선 등 대부분이 수평의 세계를 나타낸다. 이들만의 구도로 풍경화가 그려진다면 주름져 시들어 가는 허망한 세상을 느끼기에 딱 알맞다. 하지만, 수직으로 곧게 뻗은 그 나무가 좌우 어느 쪽이건 두어 그루 등장하여 수직의 선이 생기게 되면 순식간 아늑한 요람처럼 안정된 구도가 펼쳐진다. 나는 그것이 너무나도 좋았다. 크레용으로 그리는 내 그림에서 어김없이 등장할 수밖에 없었다. 그렇게 그려진 그림을 보면 항상 마음이 뿌듯했다.

안정감이라는 것! 고향이 그런 것이다. 어느 먼 곳에 떠나가 있어도 고향을 생각하면 한없이 아늑해지는 안정감을 느끼게 마련이다. 그 나무는 그런 고향 자체의 존재였다. 아니더라도 어차피 시골의 내 고향에 서 있는 나무가 아닌가!

이제 말하자면 그 나무는 「미루나무」이다. 아니, 「양버들」이다.

아니, 「미루나무」이다. 이렇게 왔다 갔다 하는 이유가 있다. 그 나무 는 두 종류의 나무다. 어린 그 시절에 알 턱이 없었다. 그냥 조각구 름이 걸리도록 키 큰 나무로만 여겼고, 미루나무로만 알았다. 그러나 다 큰 날 알고 보니 신작로가의 그 키 큰 나무는 사실 「양버들」이었 다. 물론 산기슭과 하천가에 양버들과 함께 미루나무도 듬성듬성 있 었다. 그러나 그들 이름이 구분되어 따로 불리지는 않았다. 또 다른 이름이 있었다. 「버드나무」였다. 어른들이고 아이들이고 할 것 없이 웬일인지 모두 그 나무를 「버드나무」라고 불렀다. 신작로가의 양버 들도 버드나무요, 동네 앞 하천가의 미루나무도 버드나무였다.

내가 버드나무를 미루나무로 부르게 된 것은 역시 동요 때문이었 고, 선생님의 가르침 때문이었다. '미루나무 꼭대기에 조각구름이 걸 려있네.'라는 동요를 부르게 되면서부터 버드나무를 미루나무로 부르 기 시작했다. 이때도 역시 양버들인지 미루나무인지는 상관없는 일이 었다. 저쪽 이쪽 키 큰 버드나무는 무조건 미루나무로 불렀다.

요즘도 마찬가지다. 양버들임을 빤히 알아도 그냥 미루나무로 부 른다. 그래야만 내 고향이, 그 아늑한 시골 풍경이 환하게 웃으며 나 타나는 기분이 든다.

나에게 고향이 있는 한 그 나무는 서 있고, 그 나무가 서 있는 한 나에겐 고향이 있다. 고향이 있다는 것은 돌아갈 곳이 있다는 것이 다. 이것은 귀소본능의 우리에게 무궁한 믿음의 의지와 안식을 준다.

**색의 길**

낯선 타향에서 정처 없이 살고 있는 나에겐 특히 그렇다. 미루나무와의 만남은 언제나 그리운 어린 시절의 고향을 만나는 나만의 지복이다. ♣

# 돈 많은 꿈

평생토록 돈이 없는 호주머니는 이렇게 말한다.

"너는 돈이 없으므로 인하여 꿈을 얻지 않느냐!"

그것은 매우 옳은 말이다. 나는 돈이 전혀 없기 때문에 꿈만을 꾼다. 더욱이 좋은 것은 그 꿈속에는 어느 부자도 따르지 못할 만큼 돈이 매우 풍족하다는 것이다. 그래서 종종 내가 원하는 대로 땅을 사고 집을 짓는데, 신기한 것은 많은 돈만큼의 화려하고 웅장한 중세의 성과 같은 집은 절대로 짓지 않는다. 돈이 매우 풍족한 만큼 멋진 디자인으로 세워진 세계 제일의 고층 건물까지도 지을 수 있겠

**색의 길**

지만, 그런 건물이라면 거저 준다 해도 사양한다. 층층 벽돌인 현대의 아파트는 아예 제외 대상이다. 돈 많은 사람으로서 바보짓 하는 사람이 되겠지만, 매번 내가 짓는 집은 오직 작은 초가집.

황토로 된 그 초가집에는 대청마루와 툇마루가 어김없이 있고, 돌담을 두른 마당에는 늘 맑은 샘물이 고이는 연못도 틀림없이 있게 된다. 연못 속에는 당연히 힘 좋은 굵은 붕어와 예쁜 피라미들이 한가롭게 놀게 된다. 이따금 정다운 꽃잎과 사색의 낙엽이 떠돌기도 하고.

연못 주변에는 작은 동산이 세워지고, 그 동산에는 온갖 야생화들이 피게 된다. 특히 좋아하는 동자꽃이나 솔체꽃은 당연히 있게 되거니와 종류가 다양한 제비꽃도 있게 되고, 나와 같은 홀아비꽃대나 어머니를 사모하게 될 할미꽃도 있게 된다. 두견새를 불러오기 위한 진달래꽃도 빼놓지 않고, 달밤의 사랑을 보기 위한 달맞이꽃도 있게 된다. 이러한 꽃들로 인해 나비와 벌을 절로 날아든다.

그러기 위해서 마당은 매우 넓은 편인데, 그 마당 절반쯤은 여러 종류의 활엽수가 듬성듬성 자라게 된다. 계절이 없는 대지는 삶의 운행을 뚝 끊어놓게 마련. 아예 나무가 없다거나 늘 푸른 상록수만이 자라는 것은 상상조차도 하지 못할 일이다. 인생의 불행은 거기서 더욱 빨리 자라는 법. 나는 현대 도시의 불야성이 불나방이라는 것을 이미 오래전부터 인정해 오고 있다. 인생이 희로애락을 거치는 것은 필연이다. 희로애락이 사계절과 같음은 진리이다. 그러니 어찌 사계절의 운행이 스치는 활엽수를 세워 놓지 않겠는가!

대문은 돌담에 걸치게 되는데 판자 대문이다. 때로는 마음의 길을 걷기 위해 굳게 걸어 잠그기도 하고, 때로는 바람에 마음껏 삐걱거리도록 놓아둘 만한 그런 판자 대문. 싸리로 만든 사립문이 마음에 들기도 하지만, 자연미는 있으나 안정감이 없다. 궁상맞은 내 독신의 삶을 드러내는 구멍이 숭숭 뚫린 까닭이다. 아, 그렇지! 초가집 처마에 풍경(風磬) 하나를 다는 것을 빼놓지 않는다. 먼 곳에서 온 바람을 환영할 수 있도록 말이다. 아마도 나는 대문 소리와 풍경소리로부터 시시각각 온 세상의 이야기를 듣게 될 것이다.

외출하고 돌아오는 날. 어느 언덕에선가 구비에선가 멀리 서 있는 내 초가집을 보게 된다. 숲에 가려 잘 보이지는 않겠지만, 자기 집이 어디쯤 있는가를 모르는 사람이 있을라고, 초가집은 적절한 숲의 그늘에서 붉은 노을이 반사되어 비치는 아늑한 호수를 내려다보며 서 있게 된다. 호수에는 원앙새가 놀고, 그들도 근처 어느 나무에 내 집 같은 아늑한 집이 있을 터이다.

호수는 내가 노는 곳도 될 것이다. 아침 물안개가 자욱할 때 나는 작은 돌멩이를 던져 고운 동그라미 파도를 만든다. 동그라미 파도는 물안개 속으로 달려가며 아침을 깨우게 된다.

"일어나, 일어나, 모두 일어나!"

산새가 지저귀기 시작하고, 햇살이 반짝이게 된다. 이슬방울 달린 풀잎 끝으로 작은 베짱이가 슬금슬금 기어오르고, 거미는 부지런히 이슬방울 털어낸다.

호숫가를 산책한 뒤 이슬에 젖은 나는 천천히 집으로 돌아오게 된다. 그리고 집 앞에 흐르는 개울가에 서게 된다. 개울은 제법 넓고 아기자기한 구비를 이루는 개울이다. 또한 돌들이 많은 개울이기도 하고, 작은 모래사장도 더러 있는 개울이다. 그래서 물고기도 많이 살게 된다. 그들은 내 탐식의 제물이 될 수도 있겠지만, 그 마음 지니고 있어도 즐겨 행하지는 않으리라. 지금껏 그래왔던 것처럼.

아침마다 세수하려고 매일 섰던 자리에 서서 먼저 낯익은 돌들에게, 돌 틈의 풀들에게 아침인사를 하게 된다. 물론 그 돌들과 풀들이 내 아침 인사를 받는다고는 생각하지 않는다. 그냥 자연스럽게 내가 인사하고 싶을 뿐. 그리고 세수를 하게 된다. 고요한 아침의 숲속에서 얼굴에 닿는 개울물은 골짜기와 골짜기를 흘러 내려오는 동안 수없는 자연의 정령들과 인사를 나누며 흘러온 물. 내 얼굴에 화기애애한 정을 적시게 된다. 이때만큼은 절대 비누를 사용하지 않는다. 그래도 얼굴은 뽀드득뽀드득 소리를 낸다. 그 소리는 겨울이 오면 눈 밟히는 소리와 같다.


하얀 눈 덮인 산골짜기에 피어오르는 연기. 멀리서 지나가는 나그네는 잠시 서서 아련한 그리움에 젖겠지. 초가집 굴뚝의 연기야말로 삶의 영원한 향수! 그리고 그는 참 멋진 풍경이라고 여기겠지. 그런 내 초가집이 있는 땅은 예전에 누군가의 소유였던 것. 나는 틀림없이 그 땅을 사는 데 돈 아까운 줄 몰랐겠지. 아마도 기쁜 나머지 더 많은 금액을 얹어준 기억이 남아있기도 하겠지. 꿈속의 돈은 이 세상을 다 사고도 남음이 있었으니까.

그러고 보니 여전히 돈이 많다는 것을 잊고 있었군! 하지만, 무엇에 쓸까? 내 땅이 있고, 그 위에 초가집도 지었는데, 달리 필요한 것이 있겠나! 이제 필요한 것은 오직 사계. 그 사계만이 저들다운 모습으로 어김없이 다가와 앉았다 가는 것. 그 질서에 세상의 풍요는 스스로 일어나게 마련이니 어찌 내 모든 재산이 아니랴. 나는 단지 소매 걷고 광주리 들면 그뿐.

평생토록 돈 많은 꿈이 이렇게 말한다.

"너는 이제 네 꿈을 그렸으니, 그것을 이루기 위해 부지런히 일해야지!" ♣

색의 길

# 다시 낫에 정들다

약해진 근력의 기색도 없이 노파의 팔이 경쾌하게 움직인다. 팔이 부챗살처럼 흔들어 질 때마다 쐐기풀 같은 억센 줄기들조차도 철퍽철퍽 포복한다. 밭두렁을 마구 헝클어놓은 풀들의 기세가 노파의 앙상한 팔에 의해 여지없이 굴복하여 평정되어 가고 있는 것이다. 지금의 저 모습은 며칠 전 무거운 물건을 이동하기 위해 내 팔을 빌려야 했던 나약한 팔의 모습이 아니다. 그녀가 갑자기 철의 여인으로 변신하지는 않았을 것이다. 그녀의 나약한 모습은 오랫동안 눈에 익은 모습 그대로다. 그런데도 팔이 휙휙 저어질 때마다 손으로 뜯지 못할 질긴 풀들까지 속절없이 넘어지는 이유는 오직 하나다. 손에 강하고 날카로운 낫이 쥐어져 있기 때문이다. 덕분에 봉두난발 밭두렁이 어머니 쪽머리처럼 곱게, 곱게 손질된다.

낫의 힘을 안다. 어릴 적 낫으로 팽이나 연을 만들었다. 젊어서 한때 소 먹일 풀을 베기도 했고, 벼를 베기도 했다. 지금도 여전히 풀이나 나뭇가지를 자르기 위해 빈번하게 사용한다. 이렇게 삶의 전반을 통해 수없이 다뤄왔던 것이 낫이다. 낫은 사용할 때마다 유용했고 삶의 조력자가 되어주었다. 낫이 없으면 온종일 깎아도 팽이 하나 만들기 힘들고, 빈 드럼통 같이 비어있는 소의 배를 채울 길이 막연할 수밖에 없게 된다. 그러나 낫이 손에 들리는 한 도깨비방망이처럼 뚝딱 이룰 바를 이룬다. 당연히 의식주가 충만한 삶의 길을 열 기회를 갖는 일이다.

우막이 딸려있는 아래채의 방을 빌려 자취했던 젊은 날의 일이다. 집주인은 일흔이 훌쩍 넘은 할머니였다. 할머니는 농부가 아니라, 언제나 한 마리의 소만을 기르는 축산인이었다. 집 앞은 곧장 하천이었고, 하천 건너편에 매달 한 번 열리는 작은 축산시장이 있었다. 거기서 사 온 송아지를 1년 정도로 길러 큰 소가 되면 축산시장에 내놓아 송아지 값보다 훨씬 큰 가격으로 팔았고, 그 돈으로 다시금 송아지를 샀다. 큰 소로 키워 팔고 다시금 송아지를 샀으니 당연히 차익이 생겼다. 그것이 할머니가 생계를 유지해 가는 방법이었다. 그 때문에 할머니의 일과는 오로지 소를 키워낼 여물을 장만하는 일이었다.

옛날 방식에 있어 여물을 만들려면 풀이 있어야 했고, 풀은 짚과 함께 삶아져야 했다. 따라서 불을 피울 나무도 있어야 했다. 풀과 불을 마련하기 위해 할머니는 매일 아침마다 낫을 갈았다. 그녀는 대장간의 쇠부리에 의해 잘 만들어진 세 개의 낫을 가지고 있었는데, 항상 모두 다 꺼내놓고 하나하나 숫돌에 정성껏 갈아댔다. 그렇게 갈린 낫은 내 손에도 종종 쥐어졌는데, 거침없이 스쳐 가는 분명한 면도기였다. 아주 수월하게 풀과 나무를 자를 수 있었고, 더욱 많은 풀과 나무를 확보할 수가 있었다. 그 때문에 할머니가 키운 소는 성장이 빨랐고, 아궁이 불길은 화끈하게 불타올랐다. 잘 관리된 낫만으로 열렬한 생산이 이루어져 할머니의 삶은 가을 하늘처럼 쾌청했다.

할머니가 무슨 마음으로 낫을 대했는지는 모른다. 그러나 할머니와 낫의 관계가 평범치 않다는 것만큼은 분명히 느껴졌다. 그 때문에 할머니의 낫을 쥘 때마다 조심스러워서 아무것이나 장난처럼 잘라내지 못했다. 오직 할머니와 같은 목적으로만 사용했다. 사실 나 역시도 낫과의 관계가 먼 이국의 이방인처럼 낯선 것은 아니다. 땟자국 까만 손으로 늘 사용했던 정감이 있는데다가, 신기한 마술 속의 꽃으로 나타났던 순간을 보면서 생명의 감정까지 지닌 적도 있었다.

내 고향 마을 변두리에 움막 같은 작은 대장간이 하나 있었다. 너무 초라하여 딱히 말할 것이 없는 대장간이었다. 황토로 된 두어 개의 구조물과 하나의 목조물, 하나의 쇳덩이만 기억난다. 목조물은 발로 꾹꾹 누르면 '흥흥'하는 바람 소리를 냈다. 불매였다. 황토를 빚어 만든 작은 웅덩이가 있었고, 벌건 쇠가 '파삭, 치이익'하는 소리를 내며 연기를 훅 피워내는 담금질 하는 곳이었다. 무쇠 덩어리는 어린 우리들의 혼을 앗는 창조의 마법이 일어나는 모루였다. '땅, 땅' 소리가 날 때마다 늘어지고, 휘어지고, 얇아지는 천지개벽이 일어났다. 대장간은 그렇게 딱 필요한 것만 고정적으로 있었다. 집게라든지 망치라든지 하는 것들은 대장간이 열릴 때만 푸르스름한 군복 천에 돌돌 감긴 채로 대장장이의 팔에 안겨 나타났다. 당연히 간판이 붙은 대장간도 아니었고, 매일 같이 열린 대장간도 아니었다. 그냥 어느 날 푸른 연기가 피어오르고, 땅땅 소리가 들리는 날이 대장간이 열린 날이었다.

'땅, 땅, 땅!'

놀던 장난을 멈추고 세 또래가 골목을 벗어나 산언저리의 밭길을 달려갔다. 쌔근거리는 소리가 터질 무렵 '땅, 땅, 땅!'하는 축제의 음향이 밭둑 밑 붉은 언덕 같은 곳에서 다시금 울려 퍼졌다. 벌써 매캐한 불 내음과 쇳내가 퍼지고 있었다. 우리 세 또래는 항상 앉던 자리에 옹기종기 앉았다. 황토 더미 속에 황홀한 화색이 넘실댔고, 모루 위의 시뻘건 쇠에 망치가 '땅, 땅!' 내려쳐졌다. 쇠가 늘어졌다.

쇠가 얇아졌고, 쇠가 굽혀졌다. 그리고 물속을 서너 번 들락거리며 '파사삭!' 하는 담금질 소리를 냈고, 중간중간 '탁, 탁!' 하는 벼름질 소리를 내더니 마술 같이 낫 형태가 만들어져 한순간 덩실 허공에 들렸다. 단 한 순간의 움직임도, 단 한마디의 말도 없이 넋에 빠졌던 우리들 눈앞에 마술 같은 창조가 일어난 것이다. 어린 우리들의 눈에는 그렇게 나타난 낫이 분명 마술에 의해 태어난 듯했고, 너무나도 신기했다. 그러기에 우리는 줄 곳 대장간 구경꾼으로 나설 수밖에 없었다.

무에서 유의 창조는 단순한 것일 수가 없다. 호기심 많은 어린 시절은 더욱 그런 것이다. 그 무엇이건 새롭게 눈에 들어오는 것들은 죄다 환희의 대상이요, 꿈의 대상이요, 희망의 대상이다. 눈동자를 샛별처럼 반짝이며 그렇게 본 것들은 눈에서만 남았다가 사라지는 것이 아니라, 심혼에 들어 오래오래 삶의 조력자가 된다. 낫이 태어난 순간을 본 나에게 낫은 언제 보아도 친근한 정감이다. 싸늘하고 단단한 쇠붙이가 아니라 정성껏 길들여 같이 움직이며 일하는 친애하는 반려자다.

그렇다. 낫은 그냥 도구가 아니다. 쇠라는 강함을 기반으로 오래도록 곁에 머물면서 손과의 정을 쌓아나가는 감정의 도구다. 나는 이런 사실을 오래도록 깨닫지 못했다. 중년 무렵부터 본격적인 시골 생활을 하게 되면서 자연스럽게 낫을 다시 만나게 되었다. 사용이 빈번해졌고, 그리고 변화가 왔다. 손때 묻은 낫자루의 감촉, 숫돌에 슥슥 갈며 가늠하는 날의 감촉, 풀을 스쳐 지나는 감촉, 간간히 내 손가락에 혈흔을 내는 감촉 등이 느껴졌다. 그 감촉에 따라 당연히 여러 가지 감정이 일어났다. 그 감정은 별개의 것으로 나타나기도 하지만, 전체적으로 친숙한 상태이고, 그것은 곧 정임을 느낄 수 있게 되었다. 당장에 사용하는 두 개의 낫이 있지만, 창고에도 버리지 못한 두 개의 녹슨 낫이 있다. 이빨이 깨어지고 녹슬었어도 좀처럼 버리지 못하고 그대로 보관해 두고 있는 이유가 달리 있는 것이 아니다. 정 때문이다.

노파의 힘을 덜어주는 저 낫도 노파의 정이 배어있을 것이다. 은 빛 비늘처럼 번쩍이는 날과 묵은 때로 얼룩진 낫자루가 그 증표다. 오랜 날을 곁에 두고 있었던 정의 흔적이다. 그 정 때문에 노파의 힘이 나고, 밭두렁이 청결해지고 있다. 그리고 저 청결은 내일의 풍요로운 삶을 기약하는 일이다.

노파의 낫질을 보고 있자니 자연스럽게 내 집 길가의 풀들이 생각나고, 실수로 바닥의 돌멩이를 친 까닭에 끝이 휘어진 낫이 떠오른다. 생각난 김에 집에 들러 옛 대장장이의 팔처럼 벼름질 춤을 춰야겠다. ♣

# 달콤한 음성

청년의 음성은 몇십 분 동안 거의 판에 박힌 듯이 건조하게 울려댄다. 고정된 악보처럼 읊조리는 내용이 세상과 절연한 듯 정 냄새가 없다. 몇 마디의 구호만 계속해서 반복된다.

"발바닥을 땅에 붙이세요"
"도착하면 빨리 밖으로 나가세요"
"어른 출발!"
"친구들 출발!"

음악이 없다면 어느 종목의 훈련장쯤으로 오해할 만한 분위기다.

다행스럽게도 내 눈앞의 풍경은 시종일관 심신의 활기가 춤을 추는 눈썰매장의 풍경이다. 엄마 아빠 품에 안긴 즐거운 아이들이 있고, 그 아이들 입에서는 끊임없이 터져 나오는 신나는 비명이 있다. 또 절로 몸이 움씰거리는 경쾌한 음악 소리도 있다. 찰칵 찍어 액자로 걸어놓으면 분명 「백설 위의 낙원」이라는 제목이 달릴 풍경이다. 당연히 나는 웃고 있다. 행복해서 견딜 수 없는 몸부림처럼 연신 입꼬리가 올라가고 있다.

정말로 그렇다. 좀처럼 발을 떼지 못하고 울타리를 부여잡고 선지 벌써 삼십여 분이 되었다. 보고 또 보아도 자꾸만 웃음이 피어오르는 것이 영 벗어나고 싶지 않은 것이다. 이렇게 이곳의 분위기는 행복하다.

그런데 오직 청년의 음성만이 아무런 감정 없는 기계처럼 건조한 구호를 반복하고 있다. 그리고 우습게도 그런 기계화된 구호가 이 낙원을 움직이고 있다.

청년은 겨울 눈썰매장이 열리는 시간에만 와서 일하는 여러 명의 아르바이트생 중 한 명이다. 아르바이트생은 이곳 눈썰매장의 안전요원 업무를 맡고 있는데, 그중 한 명은 출발선에 서서 사람들의 출발을 조절하고 지시하는 역할을 한다. 지금 건조한 음성을 내뱉고 있는 청년이 바로 그 역할을 맡는 중이다.

이 즐거운 분위기의 장소에서 건조한 음성을 내뱉고 있는 청년을

색의 길

나무라고 싶은 생각은 추호도 없다. 노는 것, 구경하는 것, 일하는 것 모두가 자기 입장이 있는 법이다. 썰매를 즐기는 사람, 그것을 구경하는 사람이야 잠시 왔다가 떠나갈 뿐이지만, 청년은 하루 종일 차가운 눈 위에 서서 같은 구호를 수백 번 반복해야 한다. 그의 삭막한 음성이 이해될 수밖에 없다.

그런데 이해의 여부를 떠나 사실 큰 문제도 없다. 까딱 잘못하다가는 분위기를 망칠 수 있는 건조한 음성인데도 눈썰매장 자체가 너무 즐거운 장소인 탓인지 그런 일이 일어날 낌새는 전혀 보이질 않는다. 게다가 더욱 안심하게 된 것은 한 가지 신기한 사실을 발견하고서다.


한 번씩 청년의 음성이 묘하게 바뀌는 때가 있다. 우는 아이 사탕을 물리면 그 달콤함에 분위기가 삽시간 평화롭게 되듯이, 그의 음성도 어느 순간에 그런 분위기로 바뀐다. 지시하듯 딱딱하게 "어른 출발!"이라고 반복하던 구호가 갑자기 혀를 있는 대로 굴려 "자~ 어른 분들~ 추울 발~~~" 하며 정말 부드럽고 달콤한 음성으로 바뀌는 것이다. 갑자기 그렇게 바뀌는 음성에 어리둥절할 정도다.

그런데 나는 이내 그런 변화의 곡절을 알게 되었다. 내 눈도 동그래질 정도로 예쁜 아가씨가 출발선에 앉아 있을 때마다 청년의 음성이 달콤하게 변한다는 것을 말이다. 재미가 있어 몇 번 관찰해 본 결과 그것은 틀림없다.

사실 당연한 일일 수밖에 없었다. 내 청년 때를 생각해 봐도 예쁜 아가씨 앞에서는 내 모든 행동이 변하지 않았던가. 청년의 본능도 그렇게 작동한 것이었다. 예쁜 아가씨를 향해 느끼는 이성적 감정, 그에 따라 음성도 속절없이 부드러워진 것이다. 다른 대기자들은 덤으로 그 달콤한 음성을 듣게 되는 셈이고, 나 또한 그만큼 즐거운 미소를 지을 수 있게 되었다.

아름다움을 보고 마음이 풀리는 이런 상황은 악인에게도 속수무책일 것이다. 실제로 이곳 눈썰매장에서는 어떤 악의도 없다. 모두가 초승달 눈매를 하고 즐겁게 웃을 뿐이다. 여기에 사랑의 감정까지 나타나 달콤한 음성까지 울리니 낙원이 더욱 낙원으로 느껴진다.

"자~ 어른 분들, 추울 발~~~"

몇 번 건조했던 청년의 음성이 다시금 달콤하게 울린다. 아니나 다를까 참 예쁜 아가씨가 새롭게 나타나 출발선에 앉아 있다. ♣

## 산사의 풍경소리

깊고 깊은 산사를 향해 산길로 접어든다. 향기로운 가을 숲 냄새가 물씬 풍겨오는가 싶을 때는 벌써 이속의 세계이다. 솔바람과 산새 소리, 개울물 소리는 이내 저마다 청명하거나 심원한 소리로 해탈의 길을 알려 준다. 이속과 해탈의 경지가 이토록 쉬울 리는 없겠지만, 무욕이 생겨난 만큼은 슬쩍 이렇게 생각해 보는 것도 괜찮을 듯싶다.

쉬거니 걷거니 이끼 낀 바위를 스치고, 물봉선화 핀 작은 개울을 건너 구비와 구비를 돌아 이마에 빛나는 땀을 쓰다듬을 때쯤이면,

낯익은 아담한 산사의 향기가 저 앞 여기저기서 풍겨 오기 시작한다. 당장에 산사의 풍경이 머릿속에 펼쳐진다.

산사는 언제나 고요하다. 그러나 적막한 것은 아니다. 온화한 생명들이 오순도순 살아가는 정다운 배경의 기운이요, 기품이다. 주변의 송림은 틀림없이 널따란 잎을 지닌 활엽수와 더불어 있다. 그들 사이에 스치는 바람은 어느 하나에서 부여받은 일정한 소리가 아니라 여럿이 한데 모여 친목을 다지는 정겨운 소리로 들려온다. 이끼 낀 오랜 돌담 아래엔 작약이나 수국 같은 정선된 꽃들이 있기도 하지만, 어느 바람에 실려 온 조그맣고 예쁜 들꽃들도 어김없이 함께 웃고 있다.

아침에는 한 떼의 산새가 소란을 피운다면, 어디선가 코 고는 소리가 나직이 들려오는 나른한 하오에는 뻐꾸기 소리 한적하게 울려 퍼지게 된다. 저녁때면 다시금 뱁새들이 한바탕 소란을 피우고 간 뒤, 어두운 밤에는 부엉새나 두견새가 적적히 울기도 한다, 그들과 더불어 노스님의 염불과 목탁 소리에는 기침 소리도 적당히 동참하고, 오로지 졸립기만 하는 설법을 던져둔 채 그저 천진난만하게 재롱만을 피우는 동자승의 웃음소리가 구석구석을 침범하기도 한다.

산사의 하루를 온종일 지켜본 적은 없지만, 내가 찾는 산사는 으레 그런 풍의 느낌을 갖기에 딱 알맞은 곳이 된다. 그리하여 먼 산길을 산책 겸 걸어온 내 발걸음에 틀림없이 자비와 공덕을 베풀어주는 곳이 된다. 그러나 불자가 아닌 나에게 있어서의 자비와 공덕은 실제로 골목 건너편 이웃집의 나직한 웃음소리처럼 아련할 뿐이다. 오히려 문득 발길이 이끌리어 산사를 찾을 때 가끔씩 나를 반기는 풍경소리가 더욱 위안이다.

풍경소리는 적절한 고요 속에서 자라난다. 바람 한 점 없는 고요 속이나, 시장통 같은 번성한 사찰에서는 그 소리를 들을 수 없다. 실제로 나는 거창한 이름의 사찰들에서 단 한 번도 풍경소리를 제대로 들어 본 적이 없다. 물론 그곳에만 신경을 집중시킨다면 듣고도 남음이 있었으리라만, 그로써 대체 무엇을 얻겠는가! 경내는 여기저기 걸핏하면 바꾸어 놓는 새것들의 모양과 제소리를 내지 못하여 마치 신음이라도 흘러나올 듯한 웅성거리는 소리들이 번잡하기만 하다. 이런 속에서는 자연적 의식과 무의식 속에서 듣는 해맑은 기쁨의 성취를 오히려 영 엉뚱한 의식 속에서 완전히 망쳐놓기밖에 더 하겠는가!

아마도 그런 속에서는 풍경마저도 저의 일을 할 수 없음을 알고 잠자코 오수나 즐기되, 그래도 바람이 분다면 마지못해 낸다는 소리가 고작 하품 소리 정도일 터이다. 그래서 큰 사찰에 이르러서는 지레 귀를 닫고 말며, 그것이 오히려 해맑은 자비의 불법인 풍경소리에 삼가 예를 다하는 일이라고 굳게 믿는다.

사찰마다 매달려진 풍경이 무엇을 뜻하는지, 그 의미를 제대로 알고 있는 것은 아니다. 그냥 지나가는 바람의 목욕 소리인 양 '창그랑, 창그랑!'하는 맑고 밝은 소리만이 귀담아들리질 뿐이다. 그 소리는 평소에 내 눈과 내 귀에 길들지 않은 신선한 소리인 것만큼은 틀림없으며, 그로써 혼잡한 귓전과 혼탁한 눈을 씻어내는 기쁨을 느끼고, 그 순간 샘물에 비친 파란 하늘을 내 마음에 담는 양 싱그러워지는 것이 마냥 좋을 뿐이다.

불교에서는 유난히 울리는 것도 많다. 목탁 소리, 법고 소리, 범종 소리, 목어 소리, 운판 소리, 바라 소리, 징 소리, 죽비 소리, 이 밖에도 여러 소리가 있겠으나 그 이름들을 모두 알지는 못하지만, 어쨌든 세상을 이롭게 하려는 소리야 많으면 많을수록 좋지 않겠는가!

그런 소리들을 떠올리다 보면 또 하나 떠오르는 것이 고승의 지팡이인 선장에 매달린 「성성자」 소리이다. 요즈음 스님들이야 승용차를 타고 다니기에 필요 없는 것이 되고 말았지만, 줄곧 걸어서 다녀야만 했던 옛 고승들은 길을 나설 때면 으레 선장을 짚고 다닌 것으로 알고 있다. 이때 스님이 발걸음을 옮길 때마다 「성성자」가 찰랑찰랑 소리를 내며 주변의 잡귀를 물리치고, 그로써 사람들이 평안하기를 바라는 구실을 했다고 한다. 그렇다면 풍경소리 역시 그러한 역할을 하고 있는 것은 아닐까? 범천에 침입한 잡귀들을 물리치고 평안한 도량을 유지하고자 '창그랑, 창그랑!'소리를 내어 봄직도 하지 않은가!

색의 길

그리고 내가 더욱 알지 못하는 또 하나는 풍경을 구성하고 있는 요소이다. 예쁜 종은 종이려니와 그 밑에 달린 어류는 또 무엇인가? 공중에 달린 종에는 하늘을 나는 새가 더욱 적절할 것 같건만, 물속을 헤엄치는 물고기라니……?

어류에 관하여 불교에서 통용되는 것이라면 사물 중의 하나인 「목어」가 있을 테고, 의미의 일부이긴 하지만 「방생」이 있을 터인데, 둘의 의미야 익히 들은 듯도 하다 마는 풍경에서의 물고기에 대해서는 영 들은 바가 없다. 궁금하기야 하지만 또 허튼 상상을 할 수는 없지 않겠는가! 그러니 이는 백과사전을 뒤적이며 알아 가는 즐거움으로 남겨두어야겠다.

언젠가 내 집을 갖추는 날, 나는 어김없이 풍경을 하나 매달아 놓을 작정이다. 그때는 아마도 바람의 유희에 알맞으면서도 절대 떨어지지 않는 예쁜 나뭇잎이 어류의 자리에서 팔랑거리게 될 것이다. 내가 원하는 까닭에 만들어서라도 그런 풍경을 매달고 싶기 때문이다.


나뭇잎을 떨구는 가을바람에 풍경소리 곱게 '날 저물어 가네요.' 한다. 내내 풍경만 빠끔히 쳐다보고 있는 나를 언제부터인가 간편한 옷차림의 노스님이 물끄러미 바라본다. 인연을 느끼고 인사라도 할 듯하면서 입술을 달싹거려 보지만, 스님과 나는 결국 침묵이 옳다는 것을 인정한다.

산사의 모든 것과 헤어진 뒤 내려오는 숲길은 여전히 영원하다. 단지 오를 때 들었던 솔바람과 산새 소리, 그리고 개울물 소리만은 어느새 슬쩍 풍경소리로 바뀌어 있다. 숨통만 터이면 고함을 내지르며 달려가는 내 지프차도 웬일인지 기분 좋게 '창그랑, 창그랑!' 풍경소리를 울리며 달려간다. ♣

2부 여름 색을 빚다

## 잠에 빠지다

    방안이 두둥실 떠오를 정도로 극심한 졸음이 쏟아진다. 야간근무 뒤의 혼몽함과 시름을 잊게 하는 더위, 그리고 쉼 없이 들려오는 지루한 매미 소리로부터 쏟아져 나오는 권태감 탓인가 여겨진다. 이런 지경은 사실 한여름 정서의 당연한 풍경으로서 어느 그림에 그려져도 결코 비정상적인 구도가 아니다. 그러니 그냥 혼을 빼놓고 깊은 잠에 취하는 것이 매우 옳다.

  하지만, 나는 맹렬히 반발한다. 얼음을 입 안에 넣고 폭죽처럼 터트리기도 하고, 선풍기 앞에서 분무기로 온몸에 물을 뿌려 매서운 북풍의 바람결에 노출된 듯한 감각을 연출해 보기도 한다. 이 전투력마저도 졸음에 패할 지경이면 팬티 한 장만 걸친 나신의 부끄러움도 잊고 감나무 그늘로 뛰쳐나가 사지를 용틀임 친다. 그리고 수도꼭지의 호수를 통하여 지하의 냉수에 도움을 청하게 마련인데, 도대체 이런 행위를 왜 필요로 하는지 알다가도 모를 일이다. 거의 병적인 수준이다. 나와 잠 사이에는 필경 신도 어쩌지 못할 은원이 배어있다.

거의 모든 생명에 잠이 있다는 사실이 여간 신기한 것이 아니다. 강아지나 새끼 고양이의 졸음 앞에는 포화가 난무하는 전쟁도 무용지물이다. 너무 귀엽다 못해 기가 막혀 웃음만 나올 뿐이다. 그렇다면, 잠은 평화인가? 틀림없다!

군 복무 중이었다. 군기에 적응하느라 정신없는 이등병의 과정을 거치고 난 일등병의 무렵이었고, 저녁 무렵 어떤 일로 인하여 호된 구타와 얼차려를 받은 어느 날이었다. 연방 욱신거리는 몸을 어찌하지 못하고 비애와 증오를 끌어올린 헝클어진 마음으로 깊은 밤 보초를 서고 난 뒤 막사로 돌아왔는데, 문을 열고 들어서자마자 달빛의 잔광에 비친 희미한 광채를 띈 얼굴이 있었다. 내게 구타와 얼차려를 준 선임자의 얼굴이자 세상모르게 잠든 얼굴이었다.

조금 후 나는 고요한 달빛 비치는 막사 뒤에서 한없이 울었다. 인생의 애잔함에 대한 울음이었고, 비애와 증오로부터 용서받은 울음이었다. 그의 얼굴은 말했다. "나도 힘든 하루를 보냈어. 내가 낮에 너에게 무슨 일을 했건 지금 나는 아무런 생각을 하지 않아. 그냥 이렇게 자고 싶어." 사실이었다. 그의 얼굴은 인생의 모든 것을 체념한 것처럼 허허벌판에 놓여 있었으며, 어떤 욕망도 분노도 품지 않은 순정의 빛으로 감싸져 있었다. 오직 먼 곳으로 떠나가 그곳 달빛에 영원한 넋처럼 잠들어 있을 뿐이었다.

그를 본 나는 내 자리로 가기 전에 모든 것이 사라지는 것을 느꼈다. 비애와 증오는 나를 용서했고, 나는 그를 용서했다. 그 순간 알 수 없는 슬픔이 밀려와 어쩔 수 없는 일처럼 막사 뒤에서 끝끝내 숨죽여 울어야 했다. 그것은 영원한 사랑의 묵시록이기도 했다. 다음날부터 나는 그에게 공손히 웃으며 머리를 조아렸고, 머지않아 그의 표정과 명령어는 한결 부드러워져 내게 평화를 주었다.


나에게 있어서의 그 체험은 인간의 잠을 틀림없이 숭고하게 만들어 주었다. 악령이란 도무지 찾아볼 수 없는 평화 그 자체였다. 지금 물어도 그 사실엔 변화가 없다. 그런데도 악착같이 잠을 쫓아내려는 시도는 어찌 된 일인가. 내겐 도대체 군 복무 중에 있었던 숭고한 평화나 새끼 고양이의 졸음에서 오는 즐거운 평화가 필요 없다는 말인가. 그렇지는 않다.

잠은 생명의 본능이다. 육체적으로는 자연스럽게 이루어지며, 정신적으로는 스스로 청할 수도 있는 잠은 이랬건 저랬건 그 충족으로써 생명의 본분을 지킨다. 여기에 어떤 침해도 있어서는 안 된다. 잠의 섭리를 침해하는 것은 곧 개개인의 생명 선상에 이상기온을 유발하는 행위나 다름이 없다. 당연히 인류의 생존에 지각변동을 일으키는 일과도 직결된다. 괴로움을 당하는 자와 정신착란을 겪는 자의 충동적 행위에서 질서를 도모할 방법은 애당초 없기 때문이다. 방법이 있다면 그것은 오로지 억압의 굴레를 씌우는 길밖에 없는 데 이래저래 정상적인 화합은 무시되는 셈이다. 이런 사실에 대하여 만약 한 번이라도 불면증에 걸려보았거나 잠을 재우지 않는 고문을 겪어 본 사람이라면 이 순간 눈물이 주르르 흐를 정도로 두려움의 자각에 몸서리칠 것이다. 반대로 쏟아지는 졸음 때문에 목숨을 잃는 경우도 비일비재하고 보면, 잠은 역시 어둠의 시간에 펼쳐지고 나른한 오후에 펼쳐지는 제 운행대로 내버려두어야만 신성한 생명의 조력자로서 역할을 다할 수 있다.

그런데도 잠을 쫓아내려고 발버둥 치는 나의 허망한 행동은 연이어 이어지고 있다. 실제로 나는 하루 평균 네다섯 시간 정도만의 잠에 익숙해져 있다. 그리곤 아침 녘 잠 때문에 지각하는 젊은 동료들에게 조롱하듯 자랑스럽게 말한다. "뭔 잠이 그렇게 많아. 나는 잠을 거의 자지 않아도 이렇게 멀쩡한데... 잠도 버릇이야, 자꾸만 자기 시작하면 끝이 없어."

문제는 그래 놓고는 집으로 돌아와 꾸벅꾸벅 졸기 시작하는 데 있다. 대체로 버텨내지만, 하루에 적어도 서너 번은 쏟아지는 졸음과의 씨름이 반복된다. 내가 정녕 적은 시간의 잠을 자고 있다고 인정할 수 있을까? 설령 인정할 수 있을지라도 그 의미는 무엇일까? 참으로 곤혹스러운 자문이다. 왜냐면, 그 자문의 해답은 결국 나의 치부만을 드러내게 되는데, 그것은 명확하다. 나는 잠의 평화와는 별도로 잠으로 인한 시간의 상실에 대한 강박증에 시달리고 있다. 잠의 이면과 내 불모의 삶 때문이다.

잠은 인생 삼분의 일 정도를 망각의 공간에 던져버린다. 오늘날 여든의 수명이라지만 실제로는 50여 년의 삶밖에 살고 있지 못한 것이다. 당신의 나이가 30대라면 앞으로 50년의 삶이 남은 것이 아니라 기껏 20여 년밖에 남아있지 않은 셈이다. 이 사실을 실감하는 당신이라면 아무리 청춘이라도 가슴이 덜컥 내려앉을 만하다. 잠의 이면엔 이런 사정이 숨어있다.

그렇게 삶은 짧아졌는데 내 삶이 치장한 것은 아무것도 없다. 생명의 의미, 인간의 가치를 말하기조차도 부끄러울 정도로 허망하다. 당연히 무언가를 채우고 싶고 이루고 싶다. 그런데 내 나이 벌써 노화의 수치로 적히고 있다. 시간이 없다, 없다. 삶의 세월이 길었으면 하는 마음이 굴뚝같다. 그러나 약초를 채취하는 숱한 산행에서 불로초차도 만난 적이 없다. 삶의 연장이란 있을 수가 없다. 결국, 기껏해야 할 수 있는 일이라고는 제한된 시간을 좀 더 많이 활용하는 일뿐이다. 잠이 오면 오는 대로 천연덕스럽게 널브러져 잘 수 없는 이유가 여기에 있다. 어떻게 해서든 잠을 덜 자면서 거기서 얻은 시간으로 나 스스로 만족하는 최소한의 인생에 대한 미덕이라도 쌓아 볼까 하고 용을 써보고 싶은 것이다. 솔직히 이 강박의 어리석음을 모르는 바가 아니다.

모름지기 인간의 예지는 명료한 의식의 소산물이며, 사회적 성공과 인생의 보람은 그 예지의 소산물이다. 잠을 제대로 자지 않아 하루에도 수십 번 하품하고야 마는 흐리멍덩한 의식으로서는 도무지 실마리조차도 잡지 못할 일이다. 시간이 아까워 잠을 쫓으려 하고, 그러면 그럴수록 삶의 의식은 몽롱해져 감에도 불구하고 가급적 깨어있는 상태로 무엇 하나라도 해내려는 나는 허망한 꿈을 꾸고 있는 것이다. 수렁 같은 이상한 잠에 빠져, 삶이 끝난 미궁의 세계에서……. 이것은 분명 다시 생각해 봐야 할 문제이다. ♣

# 맑은 손톱

돌아서면 어느새 자라 있는 손톱을 똑딱똑딱 깎으면서 문득 생명의 위안을 느낀다. 손톱의 지속적인 자람은 내 생체의 여전한 활동성을 나타내 주기 때문이다.

유년기를 지난 인간의 성장은 마치 대양의 배와 같아서 기착지를 향해가는 움직임을 거의 느끼지 못한다. 그 때문에 거울 속의 얼굴은 매양 거기서 거기인 얼굴 모습만 나타날 뿐이다. 이것이 좋은 일인지 나쁜 일인지 일시에 분간키는 어렵지만, 좋은 일을 떼어놓고 생각하면 언제나 청춘이라는 점이요, 나쁜 일을 떼어놓고 생각하면 그것이 착각이라는 점이다.

**색의 길**

인간은 어쩔 수 없이 늙어간다. 세포가 점점 기력을 잃기 시작하고, 연골이 점점 닳아 녹슨 대문 같은 소리를 내기 시작한다. 그리고 어느 날 문득 주름을 발견하고는 서리 맞은 풀잎처럼 축 늘어져 버리고 만다. 오늘날 내가 처해 있는 지경이다. 이런 지경에서 여전히 활기차게 뻗어 나오는 손톱을 보니 화색이 확 피어날 정도로 크나큰 위안이 된다. 착각임이 빤함에도 '그래도 아직은'이라는 포기할 수 없는 청춘의 마력이 느껴지기 때문이다.

실제로 손톱은 그런 착각을 불러일으키기에 딱 알맞다. 노년의 주름을 보기 좋게 무시하듯 어떤 관리나 치장을 하지 않아도 여전히 반듯하고 굳세게 자라고 있기 때문이다. 더욱 용하게 여겨지는 것은, 신체 중에서 가장 혹사를 당하는 부분에 있으면서도 제 면모를 꿋꿋이 지켜내고 있다는 점이다. 그야말로 일송정 푸른 솔의 기개가 있고, 지조가 있고, 장생이 있는 것이다. 이 정도면 어떤 영웅호걸과 견주어도 손색이 없으니, 내 손톱은 미천한 나의 위상을 한껏 높여 준다. 참으로 영광이다.

그러나 남성인 나에게 이 감동의 순간은 한낱 꿈에 지나지 않는다. 거의 모든 남성에게 그렇듯이, 현대에 이르러 남성이 지닌 손톱은 빛을 발하지 않는다. 빛나는 생기를 느끼는 이도 없고, 유심히 바라보는 이도 없다. 물론 관심을 받는 순간이 있기는 하다. 하지만, 그 관심은 손톱이 아닌, 손톱 아래에 검게 낀 때에게 주어지는 것이다. 남성의 손톱은 그렇게 잊혀 지낸다.

수천 년 전 고대의 일부 국가에 있어 외국 남성의 손톱은 신분 상징을 위해 나름대로 곱게 채색되는 대접이 있었던 모양이다. 그런가 하면 한국의 역사에는 어린 남자아이의 무난한 성장을 위한 악귀를 방지하는 명목으로 붉은빛 감도는 봉선화 꽃물을 들였다는 이야기가 있기도 하다. 그러나 멋쩍었는지 현대까지 따라오지 못했고, 극히 일부의 풍습이어서 특별한 의의를 갖기는 힘들다. 남성의 손톱은 그저 이제나저제나 자연 그대로의 모습이 당연하다고 봐야 할 것이다.

동서양을 막론하고 오래도록 지속되어 온 영광의 손톱은 아무래도 여성만의 전유물이다. 현대의 남성에게 있어서의 손톱은 단지 거기 있는, 그리고 자라면 깎아야 하는 신체의 피조물에 불과할 뿐이지만, 여성과 손톱의 관계는 한 편의 수기처럼 자기 삶의 일체가 된다.

우리나라에서의 그 삶은 곧 봉선화 물들이기로부터 시작된다. 붉은 봉선화 꽃잎을 찧어 손톱에 놓고 꽁꽁 묶어놓았다가 풀면 시집이라도 갈 것처럼 붉은 연지를 찍고 나타난다. 소꿉장난 정도의 철부지 여자아이들은 대체로 그것이 전부였지만, 처녀티가 나기 시작하면 봉선화 물들이기의 기교도 한층 달라진다. 백반이라는 촉매제까지 사용하여 더욱 깊이 더욱 오래가는 봉선화 물들이기를 한다. 그 물이 첫눈이 올 때까지 빠지지 않고 있으면 첫사랑을 만나 시집을 간다는 옛이야기도 있으니, 여성에게 있어서의 손톱은 이미 오래전부터 미의 분신이자 사랑의 무지개를 건너온 셈이다.

**색의 길**

또 무엇이 부족했던지 「매니큐어」라는 손톱 화장품까지 외래문물로 들어와 광채를 반짝반짝 내더니, 이제는 아예 시각 미술적인 「네일아트」로 치장되기까지 한다. 손톱 화장은 이제 밥상의 수저처럼 당연하기까지 하다. 손톱으로서는 인간의 삶이 아닌 여성의 삶에 정말로 귀속되어 버린 셈이다.

그냥 단정하게 깎아만 주면 될 것을 이렇게 지극히 단장하는 이유는 무엇일까? 거의 평생을 가만두어도 소녀 같고, 신사임당 같고, 황진이 같은 손톱이 뭐가 부족해 연지 찍고, 곤지 찍는 예식까지 치르게 하는 걸까? 물론 신체 속속들이 아름답고 싶은 여성의 본능에 의문을 품을 필요가 없음을 안다. 그러나 문제는 그뿐만이 아니라는 점이다.


지난날, 사무를 보는 여직원의 새끼손톱을 보았을 때다. 그 새끼손톱은 나이 든 내 눈에 틀림없는 '벼룩의 간을 빼어 먹는' 용도였다. 심지어는 푸줏간의 날카로운 도(刀)와 같은 잔혹한 기색이 역력하여 절로 내 뺨을 만질 정도였다. 그러나 그녀의 손톱은 재롱 정도에 불과하다. 좀 더 유심히 살펴보면, 아예 손톱 전체를 날카로운 검처럼 무장하여 다니는 여성을 어렵지 않게 발견할 수 있다. 그런 손톱을 볼 때마다 매번 거미줄 같은 복잡한 심상을 지닌다. 영 이상하고, 수상하고, 요상해 보이기 때문이다.

손톱이 날카로운 것은 역사적으로 볼 때 샤머니즘 요소나 악의 현신에 해당한다. 날카로운 손톱은 동서양을 막론하고 무당, 마녀, 귀신 등의 전유물이다. 물론 어느 문화에서는 치장만의 목적을 지녔을 수도 있겠지만, 어쨌든 그들의 손톱은 아예 창(槍)과 같기도 하다. 창 같은 손톱은 곧 육식성 동물의 공격성을 대변한다. 날카로운 손톱은 그야말로 어둠, 공포, 전쟁, 착취의 대상인 셈이다. 혹자는 <보호본능>이라는 달콤한 단어를 써서 여성들의 사랑을 흠뻑 받을지 모르겠지만, 그것은 얄팍한 애정 술수이거나 과잉 친절이다. 여성의 날카로운 손톱은 오로지 자기 불만, 또는 자기 욕망의 어둠 속에서 자라나 파괴적인 결전을 향해 달려가는 형식이 될 뿐이다. 그야말로 악녀나 요부의 기색을 지닌 고전적 팜므파탈이라고나 할까?

실제로 그런 손톱을 지닌 여성들은 삶에서도 결코 온전치가 않다. 그녀들의 특징은 거의 대체로 열화 같은 자기도취 속에 있거나, 폭발하지 않고는 도저히 견뎌 낼 수 없는 스트레스 속에 있거나, 가정적이지 않은 화류적인 생활 속에 있어 일상의 사랑과는 영원한 결별을 하고 있다. 당장은 아닌 여성들 일지라도 그녀들의 심상 어느 구석에선가 그런 싹이 돋고 있다. 새끼손톱이 날카로웠던 여직원의 생활 역시 그다지 순정적이지만은 않았다. 음습하고 난해한 기질을 지니고 있어 대하기가 어려웠다.

손톱의 역할은 손가락의 힘을 지탱키 위한 것이다. 용도는 그렇게 분명하다. 그러나 빵만으로 살 수 없는 것이 인간이고 보면, 연지 같은 봉선화 물들이기 정도나 수줍은 듯 곱상하게 단장된 매니큐어 정도는 충분히 인정해 줄 수 있다. 하지만, 원색적이고 현란한 도색이나 날카로운 손톱만은 맹렬한 가시덤불로 둘러싸인 마녀의 성처럼 거리를 두지 않을 수 없다.

물론 현대 사회에는 개성과 일탈 등의 특정한 형색을 지향하는 자들이 있고, 그들은 무슨 이유를 대서라도 유색의 손톱, 또는 날카로운 손톱의 미학이나 온전함을 말할 것이다. 그들에 대해서는 달리 말하고 싶지 않다.

특히 인류에겐 문화 변화라는 것이 있건대, 그에 따라 어떤 문화층이 새롭게 발현되어 보편화되어 버리면, 그것은 신도 말리지 못할 새로운 정의의 문화가 되어 지금껏 역사적으로 지탱되어 온 기존 정의가 비집고 들어갈 틈새조차 없어져 버리고 만다. 그때는 정말 그 문화가 아무리 요상하고, 저질이고, 쓸모없는 것이라 할지라도 입을 꾹 다물어야 한다. 무어라 입을 여는 순간, '시대에 뒤떨어진 자'의 기둥에 묶어놓고 수많은 비속어가 내리쏟아질 테니 말이다.

아직은 그렇게까지 된 형태가 아닌 만큼 생각을 밝히지만, 아무래도 나로서는 유색의 손톱이나 날카로운 손톱이 일부 특정인들의 세계 속에서만 인정되도록 놓아둘 뿐, 밝고 맑은 우리들의 일상에서 이해되는 것을 바랄 수는 없다. 더군다나 신체는 함부로 건들 일이 아니다. 매니큐어 및 젤네일 아트 등 이미 많은 부작용 연구가 보고되고 있다. 그러니 가급적 평화롭게 놓아두는 것이 건강한 일이다.

남성인 나를 만난 내 손톱은 평화롭다. 이 평화로운 손톱을 똑딱 똑딱 깎아주니, 이것만으로도 환한 만월 같다. 또한 눈부시지 않은 광채를 지녔으면서도 해맑고, 중용의 도를 덮어씌운 듯 모남이 없고, 내 인생을 지켜본 눈빛처럼 깊은 정이 있다. 그리고 무엇보다도 늙음이 역력한 내게 '여전한 청춘'이라는 건강한 삶의 의욕을 주고 있다. 참으로 멋지다. ♣

# 숲속의 오래된 무덤

봉분이 거의 사라져 버린 오래된 무덤이다. 이름 모를 풀 무리와 작고 억센 진달래나무, 싸리나무가 듬성듬성 자라나 고라니의 발자국 흔적과 어울리고 있다. 도대체 무덤인가 싶을 정도로 처연한 상태이다. 다행스럽게도 오랜 약초꾼의 삶에서 숱하게 접해왔던 익숙한 장면이기도 하고, 무엇보다도 햇살 따사로운 오붓한 공터의 윤곽이 자비롭다. 신성한 무덤터임을 분명히 밝혀 숙연하게 하는 까닭이다.

무덤은 이미 후대의 손길이 끊겨 방치된 것이다. 언제부터였는지 추측도 할 수 없고, 축대도 비석도 애당초 없어 보인다. 이 선조는 어느 날 문득 죽었고, 몇몇 사람의 눈물과 또 몇몇 사람의 땀 냄새 속에서 세상과 아스라한 이 외로운 숲속에 묻혔으리라 여겨진다. 이름난 자도 아니요, 양반이었던 것도 아니며, 무슨 애틋한 사연의 징표조차도 없는 이 선조는 그냥 '한 때 살았고, 어느 날 죽었노라.'라는 명분만 있어 보일 뿐이다.

  가까이서나 멀리서나 인간의 시각이 바로 볼 수 있는 것은 아무것도 없다. 본 것은 오직 어떤 형상뿐, 그 내밀한 진실이나 이치 등에 대해서는 맹인보다도 더욱 까막눈이다. 더군다나 오랜 예전의 삶이었던, 그리고 영영 방치된 무덤 속의 선조에 대해서는 더더욱 그럴 수밖에 없다. 설령 그의 내력을 안들 웃어 줄 수 있겠는가, 울어 줄 수 있겠는가! 좀 더 집착하여 역사적인 사실, 유물의 가치 등에 관한 관심과 반응을 보일 수도 있겠지만, 지금의 내겐 그럴 만한 이유가 도무지 없다. 햇살이 드는 숲속의 밝은 공터, 더불어 솔바람 향기로운 쉼터쯤으로나 여기고 잠시 앉은 무덤가. 애당초 여기에 앉았을 때 휴식 이상의 명분이 있던가?
  물론 밤이면 달랐을 것이다. 내 명분이 무엇이건 무덤은 실존의 존재였을 테고, 선조는 안개 낀 바다에서 새하얀 돛처럼 스르르 나타나 싸늘한 시선으로 나를 바라볼 테지. 그리고 내 영혼은 선조의 푸른 인광과 냉기에 빨려들며 식은땀을 줄줄 흘렸겠지. 어둠의 밤과 숲속의 외딴 무덤은 틀림없이 그런 이야기를 만들게 마련이어서 밤의 무덤 곁에 앉아있는 한 심신이 온통 난파될 수밖에 없다. 이런 상상으로 말미암아 밤의 선조는 매우 고약한 존재로 전락해 버리고 마는 셈인데, 다행히 그런 고약한 선조는 여태껏 단 한 번도 만난 적이 없다. 모름지기 무덤 속의 선조를 생각함에 있어 지고한 삶의 역사에 대한 경의만을 표할 수 있다.

실제로 나는 숲에서 무수히 만나는 선조의 무덤들에 대해 틀림없이 경의를 표하는 마음을 지녔다. 이렇게 영영 잊혀 버린 숲속의 오랜 무덤을 대하면 더욱 그렇다. 버려진 미아의 눈물처럼 내 연민의 정을 자극하기 때문이다.

또한 잎이 떨어지는 숲속의 무덤, 뻐꾹새 우는 숲속의 무덤, 눈 내리는 숲속의 무덤, 할미꽃 피어있는 숲속의 무덤, 이런 무덤의 서정을 생각하면 나는 마치 영원한 아름다움을 품고 정지되어 버린 듯한 향수를 느끼거나, 영원한 슬픔을 품고 정지되어 버린 듯한 애수를 느낀다. 그것은 포근하고, 아늑하고, 차분한 감정을 준다.

지금도 마찬가지이다. 무덤을 빙 두른 주변의 소나무는 이미 자랄 대로 자라 올려다 본 하늘을 작게 만들고 있지만, 잔가지가 별로 없는 기다란 둥치는 화려한 활엽수 잎에 반사된 햇빛을 하나도 막지 못하고 있다. 그래서 무덤은 양지바른 공터같이 환하고, 포근하고, 아늑하다. 계속 이대로 있고 싶을 정도로 무한한 안정을 느낀다. 숱한 산행에서 걸핏하면 무덤가에 쉬는 이유가 달리 있는 것이 아니다. 죽음의 침울한 향기를 맡게 되리라는 생각은 애당초 없고, 죽은 선조의 어떤 비극적인 이야기도 전혀 들려오지 않는다는 것을 안다. 졸음이 슬쩍 올 정도로 그저 태평이다. 실제로 잠깐잠깐 잠까지 든

적이 한두 번이 아니다. 무덤가에서 잠든 적이 몹시도 많다.

내가 이렇게 편안한 쉼을 다하고 있을 때, 이 오래된 무덤 속의 선조는 죽은 자신의 삶을 어떻게 생각하고 있을까? 가슴에서 돋아난 푸른 고사리의 생기처럼, 한때 자라났던 그 푸른 생기로 인하여 모든 것을 만족하고 있을까? 이렇게 묻다가도 금방 어리석은 질문 따위는 접어두기로 한다. 이 오래된 무덤 속에는 그를 분해한 흙과 굳건한 조직물로 만들어진 뼈만이 있을 뿐이다. 내 질문에 대답해 줄 입술도 사라지고, 심정을 기록해 줄 손도 사라졌다. 그나마 기대할 눈빛도 없고, 행여 남았을 영혼은 살았을 때는 지금이나 영원한 미궁이다. 이 무덤은 자연에 귀의한 자의 흔적일 뿐이며, 선조는 이 세상을 거쳐 간 뒤 그 이외에는 모든 것을 잊고 사라져 간 자일 뿐이기 때문이다.

그러나 이것으로 끝나고 마는 것일까? 이렇게 물을 때, 역시 아무것도 사라지는 것은 없다. 나는 무덤을 바라보고 있고, 시선을 끊지 않는 한 무덤은 한 사람의 생과 사의 경과를 영원한 꿈처럼 전해주고 있기 때문이다. 거기에 내 모습이 어리는 것은 당연한 것이 아닐까? 아주 쓸쓸하게 사라질, 그러나 누군가에게는 회자될.

살아도 죽음이 어리고, 죽어도 삶이 어리는 우리의 인생이 뭔가 싶다. 참으로 모르겠다. 그저 이 순간 말 없는 선조에 대한 나의 따뜻한 정이 기분 좋고, 당신의 이야기를 소곤소곤 수첩에 말하는 시

간이 알찰 뿐이다. 오늘 약초 산행길에서는 더 이상 무엇을 바랄까
싶다. ♣

# 우산이 쓰기 싫은 남자

내 거처는 마을 어귀의 밭들 사이에 있고, 길은 소로여서 어디론가 나갔다 오려면 잠깐 동안 소로를 따라 오고가야만 한다. 그래야 비로소 널따란 갓길이 있는 찻길과 만나고, 그 갓길에 어디론가 떠나갔다 오곤 하는 내 지프차가 서 있다.

차는 조금 전 비 내리는 시골길을 달려 사십 리 밖에 있는 읍내시장을 다녀왔다. 그리고 예외 없이 갓길을 제 집인 양하며 나와 떨어졌다. 지금 우리들 사이엔 굵은 빗방울이 쇠창살처럼 여전히 내리고 있다.

시장에서 사 온 물건을 정리하고 있는 참이다. 그런데 내 노화의 건망증이 또 작동되었음을 알게 된다. 전자저울에 넣을 작은 건전지

두 알을 샀는데 깜빡하고 차에 두고 내린 것이다. 조금 후 어떤 작업을 해야 하는데 전자저울을 꼭 필요로 하는 일이다. 그러니 별수 없이 가지러 갈 수밖에 없다.

비는 여전히 기세를 누그러뜨리지 않는다. 굵은 빗방울이 갈대밭인 양 무성하다. 그냥 뛰어갔다 오면 옷이 많이 젖게 될 것임은 빤하다. 당연히 우산이 필요하다. 필요한 우산은 손만 뻗으면 잡힐 거리에 걸려있다. 그러나 나는 그 존재에 냉담하다. 빗방울에 주춤하면서도 기어코 우산을 들지 않는다. 그대로 차 있는 곳을 향해 달음박질친다.

대체로 이런 식이다. 웬만해서는 우산을 잘 쓰지 않는다. 시장을 보면서도 그랬다. 굵은 빗줄기 속을 우산도 없이 마트에 뛰어드는 사람은 나뿐이었다. 차도에서 마트까지 20여 미터지만, 모두 차 문을 열자마자 우산 먼저 펼쳐 드는 게 그들의 일이었다. 그리고 마트로 향했다. 그런 상황에서 나는 분명 별난 행위를 한 사람이었다.

도대체 무슨 청승인지 그렇게 우산이 쓰기 싫다. 우산과 무슨 한 맺힌 사연이 있다고 생각해 본 적도 없다. 지금 생각해 보지만, 딱히 이유를 말할 수 있는 것이 없다. '귀찮아서'라는 생각도 떠올려 보지만, 비 맞은 꼴을 정리하기가 더 귀찮았으면 귀찮았지 우산 한번 펼치기가 귀찮다는 것은 가당치도 않다. '비를 좋아해서'라는 생각도 해보지만, 백발이 성성해지는 나이에 고의로 비를 맞아가면서 즐기는 것은 도대체 궁상맞은 일이 아닐 수 없다. 이런 생각이 드니 그것도 아닌 듯하다.

우리들 인간은 제각기 나름의 '천성'이 있다. 유사한 뜻으로서 한 개인의 인생의 흐름을 끌고 가는 '운명'이니, '팔자'니 하는 것들, 또는 '습성'이니 '버릇'이니 하는 것들이 있는데, 그들은 사람들 사이에서 제멋대로 요리될 수 있는 비교적 관대한 동행자들이다. 하지만, 천성만큼은 그 누구도 어찌할 수 없는 요지부동의 반려자이다. 그러한 '천성'을 제대로 말하자면 '완벽한 자아'요, '완전한 순리'이다. 어떠한 지식의 전당에서도 해부되지 않는다. 문답도 필요 없다. 쉽게 말해 매우 자연스러운 「그냥 그런 상태」가 '천성'이다.

내가 우산을 쓰기 싫어하는 것도 달리 이유가 없고 보면, '천성'임이 분명하다. 무작정 우산이 쓰기 싫기 때문이다. 이러한 심정이 삶 중도의 어느 한순간에 부지불식간 생겨났다면 또 모르겠다. 만약 그렇다면 그것은 '천성'이 아니다. 어떤 동기를 갖는 '습관'이거나, '버릇'에 불과하다.

물질이 풍족한 요즘의 우산은 별로 쓸데가 없는 십 원짜리 동전처럼 여기저기에 나뒹굴고 있다. 너무 흔한 나머지 아무리 질 좋은 우산일지라도 살대 하나 부러지는 순간 구석 데기에 처박힌다. 그리고 먼지가 앉고, 퇴색되고, 녹이 슬다가 그대로 쓰레기장에 버려진다.

결국 오랜 옛날의 어린 시절을 말하게 된다. 시골 아이였던 어린 내게 있어 질 좋은 우산은 아예 상상 속의 보물이다. 하긴, 보물이 현실의 눈앞에 나타나기는 했었다. 어머니의 꽃무늬 우산이었다. 아니, 그것은 어머니만의 보석이었다. 그 보석은 어머니만 아는 어딘가에 놓여 있다가 일 년에 한두 번 정도 모습을 드러냈다. 그러니 내가 절대 손댈 수 없었다. 그런데 신기한 것은 그 우산이 펼쳐지는 날은 햇볕이 쨍쨍 내리쬐는 한낮이었다.

"엄마, 비도 안 오는데 왜 우산 쓰고 가? 조금 있다가 비와?"

어머니의 대답은 간단했다.

"응? 아니……"

그리고 질 좋은 우산은 그렇게 멀어져갔다. 나중에 안 사실이지만, 그 우산은 햇볕을 가리는 용도의 양산이었다.

어린 시절에 우산을 말할 수 있는 것은 오직 대나무로 된 파란 비닐우산인데, 사실 그것도 한참 후의 기억 속에나 있는 것이다. 따라서 제대로 말하자면, 내가 말할 수 있는 우산은 토란잎이거나, 책보따리거나, 처마이거나, '빨리 달리는 능력'이다. 그중 무엇을 사용하건 홀딱 젖는 것은 매 마찬가지다. 그러니까 어린 나는 결국 '비에 젖는 우산'을 쓰고 다닌 셈이다.

문제는 그러면서도 비에 젖었다고 울었다든지, 짜증을 냈다든지, 원망했다든지 하는 기억은 맹세코 없다는 점이다. 그저 깔깔대며 좋아했던 기억만이 전부이다.

어린 내게 무슨 감성이 있었으며, 어떤 지각이 있었으랴! 그냥 그렇게 좋으면 좋은 것이고, 싫으면 싫은 것! 그런 감정의 상태에서

비를 맞는 것은 '그냥 좋은 것'이었다. 그리고 지금에 이르러 우산을 쓰기 싫은 것은 '그냥 싫은 것'이다. 그러니 우산이 쓰기 싫은 것은 분명 내 천성이라고 해두어야겠다.

왕복 80미터 정도를 달음박질하고 오는 동안 결국 흠뻑 젖었다. 그러나 내게는 아무런 소요도 일어나지 않는다. 그냥 어디 잠시 뛰어갔다 온 것일 뿐이며, 젖은 옷은 빗방울이 떨어지니까 젖은 것일 뿐이다. 옷을 털며 무심코 바라보게 된 접힌 우산은 내가 영 한심한 모양이다. 상대조차도 하기 싫은지 입을 꾹 다물고 있다. ♣

# 위대한 뒷집

몇 해 전 어느 봄날, 내 집 뒤의 작은 밭에 홀연히 컨테이너 하나가 놓였다. 그리고 이튿날엔 살림의 형편이 체감되는 초라한 행색의 살림 도구들이 잔뜩 쌓였다. 컨테이너에 절반도 들어가지 않을 많은 양이었지만, 어쨌든 밤하늘의 유성처럼 순식간 누군가 이사를 온 것이었고, 그들은 중년 부부였다. 어떤 사연이기에 30평 남짓의 밭에 6평형 컨테이너 하나 만에 의지해 살림하려는지 이상하기도 하고, 신기하기도 하고, 걱정스럽기도 했다.

삼 일째 되던 날 희미한 여명이 비춰올 무렵, 잠결에 전쟁의 거리만큼이나 날카롭고 둔중한 소리가 요란스럽게 들렸다. 잠시 무언가 싶어 긴장했지만, 이내 뒷집에서 무슨 작업이 벌어지고 있음을 선명하게 인지하고는 이불 속에서 그냥 뒤척이기만 했다.

그들의 집안 살림은 그렇게 3일째 되던 새벽부터 요란한 소리의 건설로부터 시작되었다. 작은 컨테이너만을 집으로 삼고 살림을 사는 일은 애당초 무리였을 것인 만큼, 무언가의 변조가 필요했음은 이해할 수 있는 일이었다. 그리고 그들은 자신들의 형편에 순응한 듯했고, 그에 따라 이사 오기 전부터 무슨 궁리를 단단히 해온 모양으로 놀랍도록 일사천리로 건설을 진행했다.

기술자도 들이지 않았고, 고급재료도 구입해 오지 않았다. 그들에겐 거름을 실어 나르는 낡은 트럭이 한 대 있는데, 그 트럭으로 이른 새벽 어디선가 고물 더미 같은 헌 목재와 패널, 창틀 등의 재료를 잔뜩 싣고 와서는 마당에 내려놓고, 오로지 자신들의 손만으로 하나씩 조합하기 시작했다. 컨테이너를 중심으로 더 넓게 기둥을 세우는가 싶더니 패널을 벽으로 세우고 창틀과 문을 만든 뒤 함석지붕을 얹었다. 그러자 집안이라 할 수 있는 널찍한 공간이 마련되었고, 며칠간은 그 공간 안에서 무언가의 작업 소리가 끊임없이 들렸다. 다행스럽게도 힘을 써야만 하는 일에는 어디선가 장성한 아들이 나타나 도움을 주고는 사라졌다. 그런 과정이 줄기차게 이어지더니 보름도 채 되지 않아 컨테이너의 모습은 온데간데없고, 내 집보다 더욱 큰 한 채의 어엿한 집이 그들의 완벽한 궁전으로 빛나고 있었다.

종달새 지절대는 완연한 봄날, 마을 사람들이 집들이에 초대되었

**색의 길**

다. 들어가 본 집안에서 문득 오아시스의 정경이 느껴졌고, 신세계의 환희가 느껴졌다. 내 청각을 줄 곳 괴롭히던 우렁찬 건설의 소리가 그토록 경이롭고 신비한 줄 처음 알았다. 방문의 첫마디와 끝마디까지 오로지 찬탄의 단어만이 흘러나올 수밖에 없었다. 마을 사람들도 한결 나와 같은 심정이었는지 나와 똑같이 찬탄만을 터트렸다.

사실 건설의 결과물 치고 찬탄이 터지지 않는 것은 드물다. 야영 텐트만을 세우더라도 거기엔 안정을 취할 수 있는 희망과 힘이 생긴다. 어린아이가 모래로 짓는 두꺼비집에도 노력의 보람과 인생의 힘인 성취감이 생긴다. 기쁨의 탄성이 나오지 않을 수 없다. 무에서 유가 창출되는 경이로움과 신비함이야말로 우리가 살아갈 명목을 갖는 행복한 기쁨이자 위대한 원동력이다.

더군다나 건설은 인간의 역사와 동행해 왔다. 엄밀히 말하자면 인간 자체가 건설의 소산물이다. 우리 인체의 형태와 작동은 그저 이루어지고 있는 것이 아니다. 무엇인가로부터의 철두철미한 계산 하에 형태를 이루고 신기막측하게 작동하고 있다. 그리고 이 작동은 우리의 생활로까지 연장되고 있다.

우리들 인간의 생활이란 일종의 건설을 자수 놓는 행위라 할 수 있다. 매사가 어떤 궁리를 통하여 점점이 조직되어 하나의 결말을 이루는 과정의 연속인 것이다. 그러나 우리는 이에 대해 크게 인지하고 있지 않으며, 건설을 말할 때 대체로 토목적인 별개의 의미로서 받아들이고 있을 뿐이다. 그러기에 건설은 사람들 각자의 이해관계에 의해 호불호 적이 되어 때로는 성취의 보람을, 때로는 파괴의 지탄을 받기도 한다.

그럴지라도 건설에 포용 되어 사는 현상은 누구도 부정하지 못한다. 애당초 건설은 모든 생명의 숙명이다. 그 무엇이건 자기만의 물질과 방식으로 자신에게 필요한 건설을 하고, 거기에 안주한다. 이것은 명백한 순리이며, 이 순리의 정통성을 지킨 뒷집의 건설은 찬탄을 넘어서 위대한 영광을 헌사해도 모자람이 없다. 게다가 열렬한 노동으로 손수 지은 집이다. 이는 신혼부부의 출산의 환희와 동일시되고도 남음이 있다.

날마다 새벽부터 밤늦게까지 신경이 날카로워질 정도로 큰 소음을 내도 항의 한 번 하지 않은 이유도 거기에 있다. 그들의 삶에 꼭 필요한 순리적인 건설 작업을 자연주의가 조소하랴, 환경론자가 지탄을 하랴. 물론 어떤 자는 중고 자재로 손수 집을 지을 수밖에 없는 뒷집 부부의 가난을 조소하기도 할 것이다. 그러나 그런 자는 인생의 숙명과 삶의 본질을 전혀 모르거나 무시하는 자로서 오히려 조소당해야 마땅하다. 누가 뭐라던 자기 삶의 순리에 따른 뒷집은 찬탄만을 소요할 위대함이 있다.

이 위대한 뒷집은 이제 대소사의 희로애락을 같이 하는, 나와 가장 가까운 이웃집이 되어있다. 거의 매일 그들을 보고, 그들의 집을 본다. 그들은 그들대로 정분이 생겨 아름답고, 집은 집대로 경이로웠던 건설의 역사에 의해 아름답다. 어느 날 부지불식간에 나타난 그들은 이렇게 아름다운 뒷집을 내게 선물했다.

이 아름다운 뒷집은 누군가 보기에는 그저 중고 패널 조각들을 덕지덕지 갖다 붙인 초라한 판잣집의 형태에 불과하지만, 굳건한 콘크리트 집인 앞집과 똑같이 비바람 속에서도 의연히 서 있고, 여느 집과 똑같은 필요한 살림의 기물들을 제대로 수용하고 있으며, 친인척이나 손님의 방문도 즐겁게 맞이할 수 있도록 해준다. 그래서 비바람 치는 날은 한량이 되어 뒹굴며 놀게 하고, 구수한 요리 냄새가 동네 골목길에 퍼지게 하며, 즐거운 담소와 웃음소리까지 흐르게 해준다. 이런 성취감을 이룬 위대한 뒷집은 정녕 우리들 인생의 거룩한 표본이리라. ♣

## 건망증을 겪는 삶

    자신이 어떤 사람인지를 모른다는 것은 인생의 수레를 안개 속에 굴러가게 해놓고, 말고삐도 쥐지 않은 채 쿨쿨 잠들어 있는 것이나 다름이 없다. 위험천만한 일이다. 인생의 수레가 제대로 굴러가게 하려면, 말고삐를 꾹 쥐어 언제라도 제대로 조절할 수 있는 자세가 필요하다.

    그 자세를 길러주는 것은 <자신에 대한 평가>이다. 자신이 어떤 상태인가를 안다는 것은 자신이 무엇을 해야 한다는 것을 안게 된다는 것이고, 그랬을 경우 의식적이건 무의식적이건 자신이 해야 하는 일에 집중할 수밖에 없게 된다. 그 일은 분명 삶에 좋은 효용을 나타내게 마련이다.

그래서 나는 오솔길에서나, 나무 그늘에서나, 개울가에서나, 무덤가에서나, 또 다른 어떤 것에서나 매우 빈번할 정도로 나를 평가하기 위한 검진을 실시한다. 그리고 내가 어떤 사람이라는 것을 다방면으로 자각하고, 각성하거나 반성하거나 하여 나아갈 방향을 바로 잡는다. 물론 마음으로써 말이다. 실천의 여부는 너무 부끄러우니 밝힐 수가 없다.

한 가지 분명한 것은 실천만 제대로 따라주었으면, 나는 분명 성인군자쯤은 되었을 것이라는 점이다. 그러나 턱도 없는 인품이 현실이고 보면, 지지리도 실천을 안 한 셈이다. 기껏 플라세보 효과를 누리는 정도라고나 할까? 그로 인해 최소한의 도덕과 교양이라도 지키고 사니, 자신에 대한 평가는 자다가도 떡이 생기는 일이 분명한 만큼 무조건하고 볼 일이다. 이런 나야 어쨌건 당신만큼은 제대로 된 삶의 효용을 위해 자신의 평가와 함께 실천도 가져야 하리라.

아무튼 그런 과정에서 내가 나를 가장 분명하게 평가하고 있는 것이 두 가지가 있다. 하나는 기억력이 도대체 없다는 사실이요, 또 하나는 건망증이 심하다는 것! 그런데 이 둘의 유사한 점은 없다. 아무리 열심히 공부해도 성적을 젬병으로 만든 기억력은 거의 유전적으로 이미 태어날 때부터 가지고 온 '천성의 기억력'이요, 건망증은 뒤늦게 출생한 '신생아'이니까 말이다.


진종일 잔뜩 흐려있던 날씨가 자정에 이르러서야 비로소 제 성질을 부리기 시작하는지 후두둑 빗방울을 떨어뜨리는 소리가 들린다. 그 소리를 듣자마자 더위로 체증된 시공간을 환기할 때가 바로 이때라는 듯 툇마루로 나간다. 시원한 멋진 공기의 즐거움이 당장에 밀려온다. 그러나 거기에 편승하여 밀려온 것이 또 하나 있다. 고기 굽는 냄새다.

깊은 밤에 고기 굽는 냄새라고? 이런 의문이 지당할 테지만, 나는 태연히 답변할 수 있다. 때는 피서철이요, 내 집 근처에는 매우 훌륭한 피서지가 있다는 사실을 말이다. 이 피서지 탓에 내가 사는 마을의 뒷집, 옆집 등에는 도시에서 피서를 온 자식과 손자들의 즐거운 울림이 곧잘 들려오곤 한다. 그리고 밤늦게까지 마당에 둘러앉아 놀기도 한다. 따라서 나는 솔솔 풍겨오는 고기 굽는 냄새가 그런 탓이라고 여긴다. "누구 집이지?" 하면서 말이다.

골목길 사이사이로 아련하게 흐르는 시골의 고기 굽는 냄새는 신기할 정도로 나그네의 향수심을 자극한다. 그런데 나는 실제로 이 마을에서는 나그네와 같다. 귀촌한 지 20여 년이 되었어도 마을 사람과 별 내왕 없이 홀로 외딴 섬 생활하듯 살아간다. 마을 사람들이 보기엔 참으로 낯선 나그네일 수밖에 없다. 나 역시도 그러한 감정으로 산다.

그런 나그네 심정인 탓일까. 계속해서 은은히 흘러드는 고기 굽기는 냄새에 그만 가슴이 울컥 일렁인다. 그러나 착각도 유분수지!

"아이구~~~!"

가슴은 비명을 지르고, 다리는 급히 달려간다. 달려간 곳은 주방이었고, 주방은 문을 열자마자 연기가 자욱하다. 뭐, 향수의 고기 굽는 냄새라고? 천만의 말씀이다. 고기 굽는 냄새는 바로 야식을 위해 올려놓

색의 길

앉던 돼지고기찌개가 새까맣게 타는 비극의 냄새이고, 내 건망증의 절정체이다.

요즘 들어 매번 이런 식이다. 도대체 냄비가 성한 것이 없다. 그런가 하면 며칠 전에는 만남의 약속까지 잊어서 숯불처럼 발개지는 얼굴색을 띠어야 했다. 또는 외출을 하면서도 내내 고개를 갸우뚱거리기를 그치지 않는데, '도대체 내가 방문을 잠갔나, 잠그지 않았나?' 하는 것이다. 방문 열쇠를 방안에 두고 방문을 잠근 일 역시 한두 번이 아니다. 그래서 아예 방 옆에 달린 쪽문에 나만이 응급조치로 열쇠 없이 열 수 있는 장치까지 해 두었을 정도이다. 행여 이 글을 읽고 이용할 생각은 하지 말아 달라! 그 장치는 매우 은밀하고, 풀려면 긴 시간이 걸리는 일이다. 그렇게 애써 문을 연들, 초라한 홀아비살림 냄새뿐이리라!

나의 이런 건망증은 생명의 도태 과정에서 나타나는 극히 기본적인 것인지 모른다. 50대까지만 하여도 이런 현상이 거의 나타나지 않았지만, 60대를 넘어서부터 매우 당연하다는 듯 나타나 '당신도 이제 저물어가는 달리기 시합에 참가한 것이오.'라고 외치고 있지 않은가!

야속한 말이다. 인생의 연륜이라는 성스러운 양분의 축적으로 인한 결실과도 같거늘, 왜 이렇게 상실의 태풍을 몰아쳐 낙과를 만드는지 참으로 가슴 아픈 일이 아닐 수 없다. 그러나 이런 나 자신을 까만 냄비로써 다시 확인하게 되니 남은 삶이 환기된다. 느리건 덜컹대건 삶의 수레가 굴러갈 길은 분명 남아있는 만큼 더욱 정신 바짝 차리게끔 말이다.

사실 이렇게 일이 터진 뒤 각오를 다지는 일은 이미 여러 차례 반복되어 온 일이다. 그래서 나름대로 뇌의 작용에 좋다는 약초도 먹어보고, 즉각 기록하는 습성이나 반복해서 되돌아보는 습성을 갖추기 위해 노력을 해왔다. 그렇게 신경을 써온 탓에 한결 나아진 측면은 분명히 있다. 실수의 횟수가 눈에 띄게 줄어든 것이다. 그럼에도 여전히 모자란 모양이다. 기억력을 붙잡는 노력이 계속되어야함을 오늘 밤 다시금 인정케 된다.

검게 탄 냄비를 들고 그런 각오를 다지며 위쪽의 덜 탄 부분이라도 먹으려고 긁어내자, 거기서 조금 전 밤비를 바라보며 향수에 잠겼던 구수한 돼지불고기 냄새가 피어오른다. 향수는 깨졌지만, 식욕을 돋우는 참 살맛나는 냄새다. 이렇게 입맛으로 희망이 솟아나는데, 어찌 또 말고삐를 꾹 쥐지 않을까! ♣

2부 여름 색을 빚다

천공의 고요한 어둠 속에서 빛나는 별을 바라보노라면, 아무리 보아도 신비하고 아름다운 모습이다. 그 모습을 볼 때마다 나는 언제나 별들의 화관을 머리에 얹고, 별들의 점술로 행운을 기원한다. 그동안 경솔한 모든 것이 사라지고, 영원의 볼륨이 점차 고조되며, 이윽고 신성한 삶의 자각이 극치를 이룬다.

―「아름다움, 그 불멸의 빛」 중에서

## 애정의 고무신

.

하얀 고무신은 하얀 살이 제 멋이다. 다행히 고무신은 그 멋을 위한 부지런함을 갖기도 쉽다. 물에 첨벙 넣고 몇 번만 문지르면 금방 제 살로 돌아오는 까닭이다. 그런 고무신에 푸른 풀잎 색이 들었다. 조금 전 풀숲 작업을 하면서 짓이겨져 물든 모양이다. 백지에 수채화 그리는 일이 아니고 보면 지워야 할 일이다. 그런데 애를 써도 도무지 지워지질 않는다. 옛적에는 곧잘 지워지곤 했는데….

사물은 어느 것이나 다 장단점이 있게 마련인 것이 틀림없다. 그러니까, 옛것으로 치자면 매우 잘 달아서 금방 너덜거리게 되는 한편, 아무리 오랜 때가 끼어도 씻고 나면 금방 하얀 박꽃처럼 새하얗게 빛난다. 그러나 근래의 것은 질기고 질겨 오래도록 신을 수는 있는 한편, 이처럼 풀물이 들어도 영 지워지지 않는 것이다.

더는 지우는 것을 포기하고 이번엔 안쪽을 씻어 내려고 속을 뒤집어 보는 데, 이것도 영 수월하지 않다. 옛것은 탄력 있게 톡톡 쉬 뒤집어졌었는데, 요즘은 단단한 게 영 쉽지 않은 것이다. 그래도 고무신은 옛것이나 요즘 것이나 편리함에 있어서는 똑같이 제 몫을 한다. 쉬 벗어서 틀면 되고, 쉬 씻어 금방 신을 수 있게 된다.

그 때문인지 옛 시절의 아이들에겐 더없이 훌륭한 장난감이 되기도 했는데, 길에서는 거침없이 신나게 달리는 자동차요, 물에서는 부푼 꿈을 안고 두둥실 떠가는 돛단배였다. 물론 빈 자동차나 빈 돛단배로 운행되기도 했지만, 거의 무엇인가를 싣거나 태운 채로 운행되곤 했다. 길에서는 주로 굉장히 무거워 보이는 조그만 돌멩이나 흙더미를 실어 날랐고, 물에서는 주로 영문도 모른 채 불현듯 여객이 된 여치나 개미가 억지로 승선 되어 먼 길을 떠나곤 했는데 대체로 급류에 휘말려 조난자가 되고 만다. 그러나 그들이 익사하는 것을 한 번도 보지는 못했다. 그런 놀이가 시들해지고 나면 금방 쓱쓱 씻겨, 이내 땟자국이 까만 발에 신겨져 토박토박 집으로 돌아올 수 있었으니, 고무신처럼 편리한 신발이 또 어디에 있던가!

그러나 요즘 실생활에서는 그 형평성이 무척 까다롭고 어렵다. 도시에서는 더더욱 그렇다. 편리함 때문에 줄 곳 이용하려고 해보지만, 화려하고 웅장한 건물들의 대리석 바닥 위를 번쩍번쩍 빛을 내며 종횡무진으로 뚜벅뚜벅 걷는 구두들 사이에서는 초라한 행려자처럼 주춤거린다. 또한 말끔한 양복이나 양장을 걸친 사람들 앞에서는 행색이 이상한 사람처럼 자꾸만 움츠러드는 것도 그렇다.

그것에 비참해질 것 없이, 아예 한복 차림으로 다닐 지면 여기저기를 쾌히 질주하련마는, 한복 또한 어느새 특별한 제식 속으로 밀려나 버린 지 오래된 실정이고 보면, 실생활에서 고무신을 신는다는 것은 이래저래 여의찮은 일이 되어버렸다. 한복과 구두는 잘 어울려 용케 대리석 바닥 위를 잘도 걸어 다니더니만, 양복과 고무신은 왜 이다지도 궁합이 맞질 않는지 딱한 일이다.

다행히 실향민의 고향같이 걸어오는 고무신을 간간이 발견할 수는 있다. 스님이나 무속인, 기인이사가 그 주인공들이다. 그러니 고무신을 신고 도시의 거리를 자연스럽게 활보하려면 그들 같은 사람이 되어야 한다. 아무리 좋아서 신는다 하더라도 나처럼 이것도 저것도 아닌 채, 양복바지거나 면바지 차림으로 고무신을 신고 다닌다면 영락없이 요상하고 천박한 행색으로서의 눈초리를 받아야 한다.


어릴 적, 오일장이 서는 전날이면 어김없이 뒷마루 위로 올라오는 고무신이 있었다. 어떻게나 문지르고 문질렀던지. 정말이지 박꽃처럼 하얗게 빛났다. 그렇게 하얀 얼굴이 되어 길거리를 나서면, 어머니는 갑자기 정갈한 여인이 되어 누구에게든 은근히 추대를 받는다. 그러나 시커먼 때가 묻은 채로 길거리를 나서면, 어머니는 영락없이 시골 아낙네이다. 그러니까 어딜 가도 유용하기는 하지만, 더럽고 깨끗함에 따라 격차가 있는 셈이다. 그렇다면, 도시의 대리석 바닥일지라도 늘 깨끗하게만 신고 다니면 괜찮을 듯도 싶지만, 실상은 어떤가? 메마른 현대의 바닥이나 역사를 잊어 가는 사람들이 그것을 용납할 리가 만무하다.

하지만, 신발 중에 고무신만큼 다양한 면모를 지닌 신발이 또 있던가! 고무신은 카멜레온처럼 곳곳에 잘 적용되는 변신의 신묘한 마력을 지니고 있다. 어린이의 장난감으로부터 엄숙한 제례 의식에 이르기까지, 그 용도에 따라 상응되는 가치는 매우 다양하다. 형태상으로서는 성을 구별하기도 하고, 색상으로서는 빈부의 격차나 계급 사회를 내포하고 있기도 하며, 관념상으로서는 이속적이거나 기벽적인 성향을 나타내기도 한다. 그리고 물질적으로는 역시 일상생활 일부에 대한 욕구를 충족시켜 주기도 하고, 여러모로 유익한 편리성을 갖추고 있기도 하다. 그러나 전체상으로 보면 고무신은 역시 현대 문명의 기형아이다. 문명이 발달하면 발달할수록 더욱 그럴 것이다. 역설적으로 말하자면 문명이 떨어지면 떨어질수록 더욱 제 빛을 발한다고도 볼 수 있다.

실제로 문명이 조금이라도 덜 스며든 시골 마을 길 위의 고무신은 아직도 싱싱한 제 빛깔을 뽐내고 있다. 완연히 달라진 것이 있다면,

아이들의 발에서 그 모습이 완전히 사라져 버렸다는 점이다. 이제는 단지 몇몇 노인들의 발에서만 옛 모습 그대로 유지되고 있다. 어린 시절로부터 이어져 온 오래된 습성일 테지만, 그들은 어쩌면 영원한 역사나 아름다운 추억을 신고 있는지도 모른다.

고무신을 장난감으로 가지고 놀다가 밥때가 늦어 서둘러 신고 타박타박 집으로 돌아오면, 허름한 초가집 툇마루 앞 땅바닥의 또 다른 고무신들은 늘 방안에 누가 있는지를 말해주고, 그에 따라 아이의 태도는 결정된다. 우당탕 뛰어 들어가던지, 조용히 걸어 들어가던지, 아니면 살금살금 옆방으로 들어가던 지가 결정되는 것이다. 하지만, 거의 어느 쪽이건 한쪽은 또 다른 고무신들 위에 엎쳐지고 덮쳐지고야 만다.

때로는 툇마루 아래로 깊이 처박혀 버리는 바람에 엉금엉금 기어 들어 가야 하는 경우도 생기는 데, 기어들어 가다 보면 어김없이 어두컴컴한 구석에 거미줄과 먼지 때를 새카맣게 뒤집어쓴, 찢어지거나 바닥이 해어진 고무신들을 볼 수가 있다. 이들은 필시 그 생명이 다했음에도 무엇인가의 또 다른 탄생을 기다리며 억척스럽게 보관되어있는 것들이다. 사실 그 고집은 거의 성공을 거두게 되는 데, 가장 흔한 성공은 화력을 오래 지탱해 주는 저녁 군불의 땔감용이거나, 아니면 종이가 다 해어지도록 비벼대는 지우개용으로 탄생하는 것이다.

**색의 길**

지우개가 없던 시절의 아이들은 흔히 신작로 바닥에서 주운 자동차 타이어 조각을 지우개로 쓰곤 했는데, 어렵사리 글자를 지우기는 하지만, 다 지운 다음에는 글자보다도 오히려 더욱 새카만 자국이 남곤 해서 도무지 인기가 없었다. 하지만 하얀 고무신은 정말로 신나는 지우개였다. 검정 고무신은 툇마루 아래의 어두운 구석을 벗어나면, 곧바로 아궁이 속에서 뜨거운 열정을 불태우게 되지만, 흰 고무신은 아이들의 손에서 다시금 오래도록 인기를 누리는 찬란한 영광을 얻게 된다. 갈가리 찢기는 탓에 좋은 영광인지 나쁜 영광인지 구분할 수는 없겠지만.

그 아이들이 누구인가? 우리의 선조들이거나 지금의 노인들이 바로 그 아이들이다. 그들이 신은 고무신은 진흙탕이든 화장실이든, 산이든 들이든, 제사 집이든 결혼 집이든, 시장바닥이든 면사무소든, 그 어느 곳에 가도 유용하거니와 지탄받은 일이 없이 그들의 평생 업적을 지켜주었다. 이렇게 이것저것 여기저기서 평생을 이용해 온 고무신을 노인들이 어찌 쉬 벗어버리겠는가!

추억으로 갖는 애정뿐만 아니라, 「이 세상의 신발 중에서 고무신이 가장 편안하다!」고 여기는 나는 더더욱 그러지 못할 일이다. ♣

# 피서지로 흐른 새벽 산책

풀잎의 이슬들은 그다지 큰 빛을 내지 않는다. 아마도 어느 정도의 어둠과 함께 있기 때문일 것이다. 그런 까닭에 나는 이슬에 대해 큰 신경을 쓰지 않고 들길을 걷는다. 새벽 산책인지라 청량함을 만끽하는 일 외에는 어떤 목적도 없다. 당연히 목표로 한 곳도 없다. 그저 '발걸음 가는 대로', '걸을 만큼 걷자'라는 무언의 약속만이 있다.

그렇게 걷다가 만난 마을 역시 여전히 잠에 취해 있다. 들길에서 고요히 나타난, 그리고 이웃 마을 사람이기도 한 나에 대해 전혀 관심이 없다. 마을의 목적은 오직 한 가지뿐인 듯하다.

"음, 나 졸려, 계속 잘 테야~"

그러나 어디 그럴 수 있으려고……. 누구 집에선가 닭의 고성이 요란스럽게 울려 퍼진다. 아마도 저 요란한 닭 울음소리의 성화는 틀림없이 성공을 거둘 것이다. 지금 이 순간 누구 집에선가 이불자락이 들썩이는 모양이 영락없이 눈에 들기도 한다. 하지만, 그가 누구든 좀처럼 일어나지 못할 것이다. 눈꺼풀에 천근만근의 추를 달고 오로지 꿈속으로만 계속 기어들려고 할 것이다. 그럴 만한 이유가 있다. 때는 한 여름. 온통 뜨거운 화기가 사람들을 덮치고 있다. 낮과 밤 없이 무서울 정도이다.

잠 못 드는 밤! 이 멋진 시어는 사랑의 세계 속에만 있는 것이 아니다. '열대야'라는 고약한 세계의 문화 속에도 뛰어들어 있다. 잠은 피난민처럼 쫓겨 새벽의 세계로 도망 왔다. 한여름의 새벽은 비로소 안도하며 잠들 수 있는 최고의 서늘한 세계다. 새벽 산책을 나선 내가 오히려 이상할 정도이다.

그런가 하면 이 마을은 더 고약한 지경에 빠져있다. 이 마을은 몇 개의 고가들이 있는 <전통민속마을>인 데다가, 바로 앞에 시원한 강줄기와 숲이 있는 유명한 피서지가 있다. 마을의 여러 집이 '민박'이라는 명찰을 달 수밖에 없다. 결국 한여름은 이곳 전체가 마치 피난민 수용소와도 같다.

그렇게 복잡하고 소란스러운 움직임은 밤이 늦어도 좀처럼 식지를 않는다. 얼굴이 발갛게 달아오른 아이나 내성적이고 소극적인 몇몇 사람만이 제대로 잠을 청할 뿐이다. 그리고 동이 터기 무섭게 다시금 모든 움직임이 살아난다. 그러니 이 마을에서는 닭이 제아무리 새벽을 알리는 고함을 쳐도 절대 일어날 시간이 아니다. 역시나 마을은 미동조차도 없다. 골목길이 한없이 고요하기만 하다.

마을을 서쪽으로 관통하는 골목길을 벗어나면 또다시 들길이다. 내가 느려선지 정열 좋은 햇살이 빨라선지 사물이 쑥쑥 밝아진다. 눈앞에 피서지의 여관이 우뚝 서 있는데, 그것도 마찬가지이다. 오가며 수도 없이 보았던 형태를 제대로 나타낸다. 그러나 분위기는 달라서 여전히 깊은 밤 속에 있는 듯하다.

어쩌면 저곳엔 언젠가 무슨 일로 만났던 사람도 있을지 모르겠다. 그가 간밤에 어떤 피서의 축제를 벌였건, 지금쯤 어떤 꿈을 꾸고 있든 나와 다시 만날 때는 오늘 이 한 때의 피서지에서 즐겼던 흔적은 전혀 없을 것이다. 그것은 사뭇 슬픈 일이다. 우리들 사이에 하나의 어떤 시간과 사건이 소리 없이 사라진 것이기 때문이다. 나는 저 여관에 내가 만났던 사람이 없기를 바란다.

낯선이여! 잘 자기를 바라고 좋은 꿈을 꾸기 바란다. 조금 후 그대는 이 뜨거운 여름을 대항키 위한 즐거운 휴식의 북소리를 굉장히 크게 울려야 할 테니.

들길은 금방 도로와 맞닿는다. 잠시 도보 산책이 되던 발걸음을 전환하여 물가로 내려간다. 논두렁을 조금만 따라가면 피서지 바로

색의 길

위쪽 물가에 서게 된다. 월성계곡이라 불리는 이 하천은 매우 매력적인 풍경과 물줄기를 지니고 있다. 딱히 피서지를 특정할 필요가 없을 정도로 몇 십리에 걸쳐 있는 하천 전체가 피서지가 되어 곳곳에 형형색색 야영의 빛이 드리워진다.

잠시 후 자연스럽게 가게 될 바로 아래쪽은 이 하천의 정점을 이루는 곳이다. 풍류를 즐겼던 옛 선조들의 시선이 아니 머물 수 없는 곳이니만큼 역사적이고 문화적인 유적을 갖추고 있음도 당연하다. 거기다가 현대의 수많은 인파를 지향한 연극공연 무대까지 있다. 이름은 [수승대]이다.

이곳 [수승대]는 내가 살고 있는 마을과 가까운 만큼 내 발길이 잦을 수밖에 없다. 그러나 대부분 내 취향에 따른 고요한 때이다. 오늘처럼 새벽의 산책 때, 저물어가는 저녁 무렵, 가을 나뭇잎이 우수수 떨어질 때, 함박눈이 펄펄 내려 쌓이는 날, 나는 주로 그런 때 이곳을 맴돌곤 한다. 보통은 <등잔불 밑이 어둡다>고 제 집 가까이에 있을수록 무관심하게 되지만, 이곳 [수승대]의 풍취는 내가 지닌 정서와 매우 잘 맞아서 절로 찾을 수밖에 없는 곳이다. 오히려 피서철인 이맘때는 내가 찾을 수 있는 곳이 아니다. 오늘은 이른 새벽이니, 그리고 '발걸음 가는 대로' 왔더니 이곳일 뿐이다.


내 입장으로서는 역시 피서철에는 들릴 만한 곳이 아니다. 본격적인 [수승대] 지역에 들어서자마자 낯익은 풍경이면서도 매우 낯선 풍경이 나를 어지럽힌다. 각양각색의 텐트는 숲 언저리의 덤불처럼 서로 얽혀져 있고, 텐트 주위에는 의식주의 물품을 비롯한 쓰레기들마저 어지럽게 널려 있다. 마치 모든 것이 버려져 방치되고 있는 느낌이다.

어떤 걸림도 없었던 고요했던 산책길 가에는 온갖 줄이 거미줄처럼 얽혀있어 발길마저 조심해야 한다. 그 줄엔 빨랫감마저 주렁주렁 매달려 있어 풍경의 혼탁함을 더하다. 새벽의 청량함, 숲의 향기도 잠시 결별을 고하고 있다. 먹다 남은 음식 냄새, 나뒹굴고 있는 술병의 술 냄새, 담배꽁초 냄새, 덜 마른빨래 냄새 등이 한데 어울려 술집을 들어설 때 훅 풍겨오는 그런 찌든 냄새를 풍기고 있다. 나는 당장에 이곳이 천국인지 지옥인지, 또 다른 그 무엇인지를 가늠해 볼 필요성까지 느낀다.

약간의 숨통을 틔울 수 있는 전망 좋은 자리에 잠시 선다. 그리고 이 모든 풍경을 이해하려고 애를 써본다. 하지만 잠깐만의 시간으로 해답을 내리기 어렵다. 내 곁에 문득 중년 남자가 다가와 쪼그리고 앉으며 하품을 크게 했기 때문에 사유의 물거품이 순식간 톡 하고 터져버린 것이다.

더군다나 내 곁의 이 사람처럼 이제 사람들이 하나둘 깨어나고 있다. 새벽 정적으로부터의 움직임이 서서히 나타나고 있는 것이다. 그러나 그 움직임은 너무 미약해 보인다. 애처롭게도 멍하니 서 있는,

색의 길

쭈그리고 앉아있는, 꼼지락거리는, 그런 작은 소요만이 그들이 갖는 움직임의 전부다.

보이지 않는 텐트 속은 더할 것이다. 온통 지쳐 쓰러져 누운 사람들…… 마치 이 세상에 태어나기 전부터 쓰러져 누워있었던 것처럼, 그리고 이대로 또 사라져 버릴 것처럼 혼도 없이 누워 있을 것이다.

그런 생각이 미치자 엉뚱하게도 무슨 해답이 풀어져 나오는 것 같다. 자기 세계가 아닌 세계에 놓여 있다는 것! 변화된 세계로서 자기 힘을 얻고 있다는 것! 그것은 천국과 지옥의 문제가 아니라, 삶의 윤회가 제대로 작동하고 있는 세상과 생명의 순리가 아닐는지.

"모두 좋은 피서 즐기시길……."


작은 동산의 능선 위에는 조만간 해가 뜰 징조가 엿보인다. 새벽의 청량함마저도 이미 깨어져 버렸다. 나는 서둘러 귀로에 오른다. 변화 없는 내 세계의 또 다른 일과가 시작됨을 느끼면서. ♣

# 마늘 까기

## 크나큰 재앙

자잘한 통마늘 열 개를 물에 담근 채 까기 시작했는데, 너무 잘 아서 껍질을 까기가 영 쉽지 않다. 이러한 마늘을 사게 된 나 자신을 원망할 수밖에 없는데, 역시 빈곤한 데다가 마음마저 약했던 탓인가!

"마늘 사세요, 마늘…… 서산 6쪽 마늘 사세요, 네 단에 만원……"

귀가 번쩍 뜨였다. 서산 6쪽 마늘이야 어떻게 되었건 말건 네 단에 만 원이라니. 빈곤한 나에게는 도무지 넘어가지 않고는 배길 수 없는 강렬한 유혹의 입김이었다. 얼른 뛰쳐나가 시골 골목 사이를 풍뎅이처럼 느릿느릿 빠져나오는 판매 차량을 세웠다. 차의 짐칸 쪽으로 얼핏 통통한 마늘이 눈에 띄었다. 오호, 저것이 네 단에 만 원이라니, 회심의 미소는 당연했다.

그러나 마늘 곁으로 다가간 나는 당장에 갈등 거리가 생겼다. 마늘은 저마다 다른 굵기였고, 따라서 아무것이 대충 선택한다는 것은 일찌감치 기대하기 어려운 꿈임을 순식간 깨달은 까닭이다. 느긋느긋 다가오면서 내 눈치를 살피는 판매자의 시선이 금방 부담스럽기 시작했다. 움직여 가는 차를 세워놓았으니 사지 않겠다는 말은 절대로 할 수 없는 형편이었다. 차를 세운 일이 후회되었지만, 어쩌랴! 고스란히 다가온 재앙 앞에 속수무책인 것을.

한 단에 만 원인 마늘의 내용은 이렇다. 죄다 산길에 떨어져 있는 산밤처럼 조그만 통들이 20개 묶여 한 단을 이루고, 그것을 다시 네 단으로 묶은 것이 스피커에서 꿈결처럼 들려오던 그 내용이었다. 마늘 이삭들만을 모아 파는 것임이 분명했다.


너무 작은 나머지 자꾸만 손에서 벗어나고, 썩은 쭉정이들을 빼고 난 열 통의 깐 마늘을 모아봤댔자 겨우 한 손아귀에만 소복하다. 아껴 돈을 사용하고자 하는 나에겐 아무리 생각해도 크나큰 재앙이 아닐 수 없다.


## 크나큰 위안

　동골동골 한 앙증스러운 마늘쪽 하나에 웃음이 감돈다. 삼각형 모양이라야 제대로 된 제 모습일 텐데 동골동골 하다니 마늘 가족 중에 유별난 아이임이 틀림없다. 그러나 그럴 만한 이유가 있다. 다정한 옆의 짝이 채 자라기도 전에 삶은 잃은 듯싶은 데, 짝이 그리웠을까? 그 자리에 기대고 기대다 보니 어느새 동골동골한 모습이 되었지 싶다. 정 깊은 그리움에 대한 은혜라 여겨진다.

　어느새 작은 한쪽 한쪽의 마늘마다 어떤 고향의 손길을 느낀다. 서산이라고 하였지. 그렇군. <조미미>의 「서산갯마을」이라는 노래가 있었지. 세월이 변한 지금 처녀와 사공의 눈물을 이미 말랐으리라 여겨진다. 여전한 것은 아마도 황금도포자락을 널따랗게 끌며 아득히 멀어져가는 썰물이리라. 황혼을 기다려 보았던 그 대관식 같은 장면은 서민인 내 가슴에 영원한 영광이었다.

　마늘이 자란 곳은 그 뒤편에 남은 들판이었을까? 황혼의 영광에 취해 무심코 지나쳤던 푸른 지평은 그저 농작물의 들판이라고 외면되었다. 그렇게 본 것이 사실이었을지라도 바로 그 속 어딘가에 마늘의 생명은 단군신화의 기원으로 돌아가 환골탈태의 정기를 모으고 있었을 것이다.

하나둘 어렵게 까다가 갑자기 생각난 듯 6쪽을 확인한다. 간간이 눌러지는 쭉정이가 있고, 해를 달리하여 태어난 형제처럼 크고 작은 녀석이 있기는 하지만, 통마다 틀림없는 6쪽이다. 해풍의 짠 손마디는 왜 이렇게 6쪽만 고집했을까? 마늘밭을 일구던 처녀의 가슴에 무슨 사연이라도 있었던 것일까?

처녀라면 늘 가슴이 설렌다. 그녀가 지녔을 사연은 더더욱 그렇다. 처녀의 사연이라면 대체로 슬픔을 소유하고 있는 경우가 많다. 더욱이 혼자 몸인 나로서는 그 슬픔의 사연에 더욱 귀 기울여진다. 연모의 감정은 슬픔을 담아주는 그릇 속에서 쉽게 어우러진다.

그러나 더 이상의 상상은 할 수 없다. 꿈처럼 잠시 처녀를 떠올려볼 뿐이다. 아니더라도 꿈은 이내 깨어진다. 또 갑자기 생각난 듯 잘근 씹어 먹어보는 마늘이 혀가 아리도록 진한 맛과 향기로써 머리 부분의 신경세포를 온통 장악한다.

작은 고추가 맵다더니……, 작아서 심드렁해졌던 마음에 크나큰 위안이 된다.


## 크나큰 행복

힘들게 작은 마늘을 까면서도 끈기 있게 다 까내는 걸 보면 기어코 마늘을 먹어야겠다는 나의 욕구가 그대로 드러난다. 실제로 나는 언제부터인지 은근히 마늘을 좋아하게 되었는데, 오로지 건강상의 이유만이 대답이 된다. 다른 음식물에서도 마찬가지거니와 맛과 모양, 향취 따위들은 빈곤한 나에게 있어 일종의 사치로만 여겨진다.

기울어가는 나이 때문인가! 하나둘 스러져가고 있을 조직세포를 느낀다는 것은 공포밖에 되질 않는다. 또한, 홀로 살기 때문인가! 쓰러져 누운 나를 생각하자면 눈물밖에 되질 않는다. 현재로서는 모름지기 건강만이 나의 평화이다. 아는가, 나의 미래여?

나는 마늘의 성분까지 죄다 파악하고 있는 박식한 자가 아니다. 그저 전래동화 이야기처럼 전해져 오는 "좋다, 좋다"라는 두 단어로부터 그 효능을 인정하고 있을 뿐이다. 이럴 때 '맹목적'이라는 비난의 화살이 날아올 수 있음을 충분히 짐작한다. 하지만, 신앙인들이 역시 전래동화처럼 이어져 내려오는 성경을 읽고서 신을 인정하듯이, 나 또한 그와 유사함에는 뒤지지 않으리라 믿는다. 그러니 "좋다, 좋다!"라는 마늘의 효능은 나에게 있어 참으로 유효하다. 플라세보 효과에 불과할지라도 말이다. 그 때문에 여전히 상쾌한 머리를 들고 하늘의 별을 헤아릴 수 있거나, 미소 짓는 얼굴로 깊은 수면에 취할 수 있는 나에게 이 작은 마늘쪽들은 참으로 크나큰 행복이다.
♣

# 옷차림 이야기

시외버스에서의 일이다. 차는 만원이었지만, 허름한 몰골의 행색인 내 곁에 앉는 것이 싫었던지, 오직 내 곁의 좌석만 비어 휑하다. 마지막으로 여학생이 차에 올랐고, 두리번거리다가 선택의 여지가 없음을 알고 내 곁에 조심스럽게 앉으려 했다. 그때 나는 내 행색에 지레 초라해 하고 있는지라, 행여 여학생의 불쾌감을 깨울까 봐 '학생, 안으로 앉을래?' 하며, 차창 자리를 양보할 뜻을 비쳤다. 세상 풍경을 쉽게 담을 수 있는 차창 쪽은 언제나 선택하고 싶은 멋진 자리니만큼 그 자리를 양보받는 사람은 즐거운 호의를 얻는 것이며, 이는 양자에게 있어 그만큼 유화적 동기가 될 만한 일이다. 그리고 그것은 내 초라한 행색을 조금만이라도 상쇄시키는 계기가 되리라.

나는 내심 그것을 바란 것이었다.

아니나 다를까 여학생은 내 초라한 행색을 봤음에도 불구하고, 살짝 미소 지으며 차창 쪽 자리를 흔쾌히 받아들였고, 자리를 바꾸자마자 차창 쪽으로 깊숙이 몸을 욱여넣은 다음, 오늘날 풍경이 되어버린, 오직 자기 속으로만 침몰해 들어가는, 현대의 완벽한 성전인 휴대폰 들여다보기에 열중하기 시작했다. 그래서 더 이상 나를 쳐다보는 일은 없었다. 내가 기대했던 바였고, 결국 나는 어느 정도 긴장을 풀고 나만의 세계에 묻힐 수 있었다.

긴장했던 그 당시 내 행색이 어땠을까, 나는 왜 그렇게 나를 초라하게 여겼을까? 그럴 수밖에. 왼 종일 산의 덤불을 헤집고 다녔던, 엉망진창의 형편없는 약초꾼의 몰골이었으니까. 거의 일상화된 등산복을 입은 등산객이었더라면 한결 나았을 것이다. 그러나 나뭇가지 사이를 뚫고 다니고, 가시덤불을 헤치거나, 주저앉아 흙을 파거나 하는 약초꾼의 복장이란 쓰레기통에서 찾아낸 때 묻고, 구겨지고, 후줄근한 옷을 주워 입은 듯한 차림인 데다가 장화까지 신고 있었으니, 그 몰골이야 말할 것도 없었다.

그렇다면 나는 왜 그 몰골로 시외버스를 탔을까? 내 몰골만큼이나 형편없었던 자동차가 그만 산길의 요란스러운 굴곡을 견디지 못하고 덜컥 고장이 나버린 탓이다. 그래서 어쩔 수 없이 우여곡절 끝에 다수의 사람이 타는 버스를 타고 귀로에 올라야 했고, 내내 마음을 졸여야 했다.

**색의 길**

우리는 누구나 다른 사람이 나를 멋있게 봐주기를 바란다. 여기에는 특히 남녀 간의 이성적인 시선이 주류가 된다. 이런 점에 있어서 그때 만약 내 옆자리의 여학생이 나와 같은 반열의 여성이었고, 내 취향의 여성이었으며, 더군다나 아름답기조차 했다면 어땠을까? 그런 상황이었다면 자리 바꾸기는 전혀 별개의 문제였으리라. 나는 거대한 위기를 느꼈을 것이며, 그 위기에 대응코자 초감각적인 신경세포가 되어 세상의 모든 기품과 미사여구를 끌어들여, 거짓으로건 진실로건 이래봬도 꽤 괜찮은 사람이라는 기운을 뿜어내고자 혼신을 다하여 허우적거리고 있었을 것이다.

　그러한 사실은 실제로 늘 도시의 거리를 거닐었어야 했던 내 젊은 날의 지대한 예식이었으며, 매일 주어지는 임무였고, 필연적인 숙명 같은 것이기도 했다. 청춘의 눈빛이 달리 향할 곳이 있었던가. 총각은 처녀를, 처녀는 총각을 향하는 수밖에. 그래서 나는 항상 내 복장에 대하여 세심한 주의를 기울여 내 자신을 표현하고자 했다. 그러나 그때 그 세심한 주의란 결코 작위적인 것이 아니었다. 즉 요리조리 꾸며서 한껏 멋을 내는 행위라기보다는, 어쩌면 자연스러운 표현일지도 모르는, 내 성향의 질서를 표현하는 행위였고, 그를 세련되게 하는 일이었다.

　당시 가을의 거리를 거니는 청년을 바라보자. 그는 거리에는 거의 어김없이 매끈한 진회색 정장 바지에 천주교의 신부님들이 입는 와

이셔츠처럼 카라가 없는 패션 상으로 <인디언 와이셔츠>라 부르는 검은색 와이셔츠를 입고, 그리고 무릎 위를 덮는 베이지색 바바리코트를 걸친 채 걸어가고 있다. 상상해 보라. 그 청년의 성격, 취향, 직업 등을. 물론 상상은 틀릴 수도 맞을 수도 있겠다.

그런데 그 당시 틀린 상상을 한 여성이 한 명 있었다. 앞에서 말한 옷차림으로 동해의 해변을 거닐다가 집으로 오기 위해 기차에 몸을 싣고 있을 때였다. 그런데 '또각또각' 하는 차분한 듯하면서도 싱그러운 구둣발 소리가 들리는가 싶더니 한 여성이 문득 내 앞에 섰다. 내 주변으로 온통 빈자리였지만 앉지도 않았다. 선 그대로 허리를 살짝 굽혀 인사하며 "저, 혹시 기자분이세요?"라며 부끄러운 듯 조심스러운 듯 나지막이 물었다. 서로 멋쩍게도 그녀는 틀렸다. 그녀는 저편 자리에서 내가 기차를 탈 때부터 유심히 바라보고 있었던 모양이다. 이유는 청춘남녀의 불꽃 튀는 연정 때문이 아니라, 내 옷차림으로 인해 나를 기자로 여겼기 때문이다. 결국 내 앞에 앉게 된 그녀는 기자가 되기 위해 시험공부를 하는 중이라 말했고, 내가 만약 기자였으면 기자 시험에 대한 조언을 얻고 싶었다고 말했다. 절박한 그녀의 심정을 이해했지만, 나는 기자 시험에 대한 어떤 도움도 줄 수 없었다.

당시 나는 끝없는 인생의 사유를 가진 문학도였다. 성격 또한 조용히 침잠하는 사색의 성격으로 형형색색의 화사한 옷감과는 거리가 멀었다. 오로지 단아하고 고아한 옷차림에 신경을 썼다. 기자의 옷차

**색의 길**

림으로 오인될 줄 꿈에도 생각지 못했고, 그로써 다만 내가 멋있게 보이기만을 바랐다.

우리가 자신을 멋있게 봐주기를 바라는 마음에서 취하는 방법은 사실상 다양하다. 목숨이 위태로울 정도인 모험을 하는 장면을 보이는가 하면, 울퉁불퉁 근육을 만들어 여름의 해변을 거닐기도 하고, 좋은 목소리를 지녔다고 시도 때도 없이 골목길을 오가며 노래를 부르기도 한다. 그러나 가장 보편적인 것은 역시 옷차림이리라. 도심의 산으로 오르는 등산객들이 너나없이 히말라야 등정 때 입어도 될 최고의 명품 등산복을 걸치는 것이 다른 이유로 설명될 것인가.

그러나 옷차림은 면모만의 표현만이 아니며, 자기 천성의 표현이자, 삶에서 형성된 자기 성품과 인격, 기질, 취향의 표현이다. 그야말로 자신의 모든 것을 송두리째 내놓은 것이나 다름없는 것이다. 직업상의 특수복은 제외해야 한다고 생각하겠지만, 사실은 그 역시도 마찬가지이다. 의사 가운을 걸친 사람을 볼 때 무슨 생각이 드는가. 그는 의사 집안의 사람이거나 열성 있는 부모를 두었으며, 공부를 열심히 하여 우수한 성적을 지녔던 사람이고, 수익을 많이 얻는 사람으로서 풍족한 생활을 구가할 것이라는 등의 사실들이 줄줄이 떠오르게 마련이다. 그런가 하면 탈옥수가 탈옥한 뒤 조급히 생각하는 일이라면, 일각이라도 빨리 옷을 훔쳐 입는 일일 것이다. 수감자의 옷은 그가 탈옥수라는 것을 말해줄 것이며, 그가 탈옥수라는 것은 범죄를 저질렀다는 사실을 말해주고, 그 사실은 탈옥수 자신에게 크나큰 부끄러움이요, 치욕이 되며, 그를 보는 사람으로서는 무섭고, 혐오스럽고, 한심스럽고, 분노하는 등의 감정으로써 그를 적대하게 된다.

그러니 옷차림이란 것은 단순히 몸 위에 걸쳐지는 옷감의 진열이 아니라, 자기 인생과 삶의 시금석으로서 다른 사람, 또는 사회와 인류에게까지 영향을 미치는, 태양의 빛이라고나 해야 할까. 신처럼 추앙하고 항시 그 예식을 다해야 할 삶의 법이리라. 이는 사실상 정적 속에 잠긴 관념의 예법이지만, 그래서 나신이 부끄러워 입고, 추워서 입고, 멋으로 입고, 편리한 대로 입는 일상의 요식행위지만, 그 내력과 힘과 영향력을 알고 항시 거울 앞에 비추어 부끄러움 없는 적정의 척도를 가늠해야 하리라.

그러는 가운데 옷차림은 수없이 다양하고 그 속에는 태양 빛도 다 알지 못할 내력들이 숨어있음도 알아야 한다. 그 내력 속에는 가장 고귀한 명품 옷의 멋으로도 미치지 못할 또 다른 멋들이 있어 우리를 당황케 하거나 황홀케 할 수도 있다. 또한 거지의 옷차림에도 교훈이 있는 법. 그러니 누가 어떤 옷을 걸쳤건 비교치는 말라. 거리의 모든 옷차림에 항상 겸손 하라. 내가 멋있게 바라보이는 순간은 바로 그 순간일지니. ♣

# 매혹적인 시골의 밤

인구의 밀집도가 현저히 낮은 시골에서 깊은 밤 2시가 되었다는 것은 거의 완전한 독립이다. 지독스러울 정도로 홀로 남겨진 시공간이다. 그러나 이 독립된 시공간이 깊은 밤 2시로부터 갑자기 툭 떨어진 것은 아니다. 서서히 저물어 가로등 불빛이 제 삶을 빛낼 때부터 이루어지는 독립이다.

들녘과 산자락에 연계된 시골은 들과 산의 어둠에 따라 일찌감치 모든 손이 놓아져 버리고 자리에 눕기 때문에, 황혼을 경계로 하여 동(動)과 정(靜)의 맥락이 뚜렷이 구분되어 버린다. 특히 그런 형편을 만드는 것은 단독세대 및 고령화된 주거 형태이다.

시골 마을의 앞집, 옆집, 뒷집은 오로지 홀로 거나 부부가 있는 노인들의 집이다. 동적인 여지가 있을 리가 없다. 따라서 시골 밤은 어둠이 치밀자마자 거의 곧바로 정적이 내려앉는다. 소음도 없고, 빛도 사라진다. 소음과 빛이 있어도 도둑고양이처럼 살금살금 다가가 방문이나 대문을 기웃거릴 때 비로소 흔적을 나타낸다. TV를 켜 놓은 것이다. 다시금 되돌아 나와 마을을 둘러보면, 오직 마을 어귀의 주홍빛 가로등만이 환한 불빛을 내며 사람의 그리움에 젖어 있다. 물론 무슨 작은 산짐승이나 들고양이라도 본 듯한 개 짖는 소리가 이따금 들려오기도 하여 공포를 주는 완전한 침묵을 적절히 방비하고 있다.

시골의 밤은 그렇게 고요하고 단조롭다. 하지만, 매우 관념적인 나 같은 사람에게 있어서 시골 밤은 마치 '지순(至純)의 미학'이 펼쳐지는 무대와 같다.


현재 내가 살고 있는 집은 큰 감나무가 한 그루 있는 맵시 좋은 마당을 갖추고 있는데, 나에게 있어 낮과 밤 없이 최상의 사색 뜰이다. 내 사상과 철학의 많은 부분이 이 사색의 뜰에서 생산된다. 나는 이 마당을 '만남의 장소'로 규정해 놓고 있는데, 이 마당에서 과거의 추억이나 기억, 미래의 상상이나 소망, 괴로움이나 슬픔, 대륙이나 대양의 모든 사물, 그리고 그리움 속의 사람들과 시청각을 스쳐 간 낯선 사람들까지 죄다 만날 수 있다.

색의 길

물론 그들은 어떤 특정한 장소에만 만날 수 있는 것들은 아니다. 방안에서도 만날 수 있고, 화장실에서도 만날 수 있다. 그러나 나는 이 마당에서 만나는 그들에게 유난히도 긴밀한 애착을 지닌다. 손질이 잘 된 정원처럼 어떤 내밀한 정갈함이 느껴지기 때문이다.

쉬 머리가 굳어 버리는 다소 답답한 방안을 빠져나와 마당에 서는 일이 잦은 이유도 거기에 있다. 온갖 세상을 불러 모으고 있는 마당은 방안에서의 굳은 머리를 어떻게든 풀어내 준다. 이러한 현상은 더 안정된 심리상의 집중력에서 오는 것이 아닐까? 나는 그렇게 여기고 있다. 그리고 이 집중력은 오히려 아무것도 보이지 않는, 매우 적막한 밤 속에서 더욱더 발휘된다. 그러므로 내가 빈번히 마당을 들락거리는 때도 어둠이 자욱이 깔린 밤이다.

때때로 새하얀 달이 떠서 많은 물체에 음영을 주곤 하지만, 그들은 깨어날 생각을 않는다. 꿈쩍도 하지 않고 자기만의 어떤 꿈에 세계에 도취 되어있다. 그들도 이 시골 밤의 적막을 즐기고 있는 것이다. 물론 나도 그들을 깨울 생각이 없다. 오히려 그들의 꿈에 동화되어 그들이 갖는 내밀한 영혼의 이야기를 듣고 싶어 한다. 새하얀 달빛 길을 따라가면서 말이다.

그 길은 가만히 있어도 가게 되는 길이다. 담장을 넘으면 콩밭이 있고, 콩밭을 지나면 논이 한참 동안 펼쳐져 있다. 그 끝자락에는 하천이 있고, 하천 건너편에는 산맥이 웅크리고 있다. 그러나 여기까지는 대체로 낮 동안 마을 주변을 돌아다니면서 익힌 풍경을 되돌려 생각하는 것일 뿐이다.

내밀한 영혼의 이야기를 듣기엔 차라리 아주 짙은 어둠이 낫다. 하지만 짙은 어둠이 드리우는 때는 거의 없다. 어떤 경로를 통해서건 빛의 대기는 살아 있다. 구름이 짙은 검은 하늘일지라도 마찬가지이다. 달과 별을 가리는 옅은 구름은 오히려 빛을 더한다. 투시경 역할도 하고 반사경 역할도 한다. 그래서 완전한 빛의 꺼짐이 없는 한, 어떤 날의 밤에도 음영은 살아있다. 거기에는 인체의 신묘한 기능도 한몫을 한다. 즉 눈동자의 수정체가 짙은 어둠에 서서히 적응하면서 물체에 대한 감각 통로를 어느 정도 열어주는 것이다. 그 때문에 인적 드문 시골의 밤이라 할지라도 짙은 어둠이 밤을 완전히 장악하기란 매우 힘들다.

나는 오히려 그것이 적절하다고 여긴다. 완전한 어둠은 너무 엄숙하여 냉기마저 감돌기 때문이다. 어둠 속의 공포가 달리 있는 것이 아니다. 그러나 넓은 음영이 조화된 밤은 중후한 무게감과 함께 고상하고 우아한 지성적인 매력을 나타낸다.

또한 밤은 빛과의 관계뿐만 아니라, 음향이나 율동 등의 정서가 연관되어 있기도 하다. 관계된 그들은 대체로 숨죽인 채 꿈꾸는 듯한 기운을 지니고 있기 때문에, 마치 아기를 잠재우는 어머니의 고요한 음성과 손길처럼 아련한 평화를 더해준다. 시골의 밤길을 걷는 자라면 이것을 낚아내지 않으면 안 된다. 아니면 자기 발걸음 소리에도 놀라 겁먹고 도망치는 가련한 신세로 전락하고 만다.

색의 길

간간이 제대로 된 생기를 만나는 수도 있는데, 개 짖는 소리와 들고양이 소리, 풀벌레 소리와 소쩍새 소리, 그리고 빗방울 떨어지는 소리, 바람 소리, 감 떨어지는 소리, 낙엽 구르는 소리들이다. 물론 마당에 서면 볼 수 있는 흰색 분필로 긋듯 떨어지는 유성도 있다. 그 생기 있는 것들은 어느 날 문득 떠나는 여행처럼 새롭고 신선한 감흥을 주기도 하고, 때로는 깊은 침묵의 권태를 환기해 주기도 하고, 때로는 '애수의 소야곡'처럼 마음을 적셔 주기도 한다. 이렇게 시골의 밤은 풍부한 영혼의 서정을 즐기게 한다. 그리고 파란 새벽이 올 때까지 꿈꾸는 명상이나 길 걷는 사색의 여정에 안겨있게 한다.

아마도 나에게 있어 시골 밤은 영롱하고, 차분하고, 감미롭기까지 한 가장 매혹적인 이성(理性)의 무도회장이 아닌가 한다. ♣

# 3부  가을 색에 스미다

# 마음의 냄새

앞집에선 나를 포함하여 누구든 낯선 기척이 있을 때마다 한바탕 양철지붕에 소나기 퍼붓듯 소란이 일어난다. 몸은 개인데, 짖는 소리는 영 고양이 발톱이다. 개와 고양이는 앙숙이 아니던가. 그 앙숙이 한 몸에 있으니 삭풍이 창문 치듯 앙칼지다. 들을 때마다 매번 마음이 긁힌다.

우리의 관계가 이렇게 될 줄은 예상 밖이다. 낑낑대던 아기 때는 흰머리오목눈이처럼 누구에게라도 인정될 예쁨과 귀여움의 총아였다.

**색의 길**

백설의 순수 속에 박힌 흑진주의 눈동자를 아직도 잊을 수 없다. 첫 대면에서 만남의 기쁨이 넘쳤고, 안아주었고, 쓰다듬었다. 그로써 나의 냄새는 교감 되었을 테고, 다정의 연을 맺은 것으로 생각했다. 한 번 각인되면 영원히 새겨지는 것으로 여긴 것이다. 인간 후각의 1만 배가 된다는, 냄새로써 암이나 당뇨 같은 인간의 질병까지 찾아낸다는 놀라운 개의 후각을 믿었기 때문이다.

착각이었다. 다정의 연은 딱 그 한 때였다. 앞집을 방문할 일이 거의 없는 생활로 인해 서로의 기척은 교류되어도 만남은 거의 단절되었다. 단절되었던 동안 개는 점점 자라 내 생각과 영 다른 본색을 나타냈다. 품종도 치와와 품종임이 드러났다. 그토록 예쁜 어릴 적 모습은 연장되지 않았고, 사나워야 하고 앙칼져야 하는 숙명이 철저히 실현되었다. 작은 몸의 비운을 눈을 부라린 호기로써 메꾸려는 것일까? 주인이 아닌 한, 모든 대상을 향한 적대감이 매번 날카로운 이빨에서 반짝거렸다.

나의 냄새에 대한 기억도 전혀 없음이 분명했다. 담장 하나를 두고 활동하는 우리 사이의 거리는 멀어야 10여 미터다. 담장 때문에 까치발을 들지 않는 한 서로를 보지 못할 뿐이다. 개의 후각 능력으로 나의 냄새를 맡지 못할 거리가 절대 아니다. 그러나 담장 곁에서 부스럭거리는 내 기척은 영락없이 도둑 기척이 되고야 만다. 금방 주인과 동네방네에 수상한 사람 나타났다고 고자질한다.

이웃끼리 이래서야 될 일인가 싶어 친화적으로 되기 위한 노력도 기울여 보았다. 까치발 들고 담장 위로 얼굴 내밀어 눈웃음도 지어 보고, 휘파람을 불어가며 손을 흔들어도 보았지만, 당최 늘품이 없다. 간혹 앞집을 방문할 일이 있을 때면 가까이 다가가 친화적인 말과 손짓을 해보지만, 매번 된서리 맞고 멋쩍다. 언어가 개입된 인간 사이가 아닌데다가 소소한 일이니 원망은 없다. 자기 딴에는 최상의 태도인, 저의 세계의 숙명을 그저 인정한다. 물론 뒤돌아서며 못난 놈 한심하게 여기듯 혀를 끌끌 차기는 한다. 날 밉다고 하는 저에게 칭찬하랴.

적대감이라는 것은 누구에게나 유쾌한 일이 되지 못한다. 앞집 개는 주인과 연루된 소수의 사람을 제외한 대다수 사람에게 유쾌한 일을 하지 못하는 셈이다. 이는 독재 세력의 행위와 같은 일이다. 독재자를 중심으로 몇몇 권력자들만의 친화적인 세계만을 이룬 채 나머지 모든 국민을 억압과 통제의 영역으로 몰아세우는 형태를 만들어 내는 것이다. 주인과 무관하게 자기 혼자서 이런 파행적 구조를 만드는 앞집 개가 딱할 수밖에 없다.

그런 구조를 행함으로써 주인에게 마냥 칭찬받는 것도 아니다. 허구한 날 잘못한다는 꾸지람을 듣는다. 좋은 선물을 배달하러 방문하는 집배원에게 날카로운 이빨을 드러내는 모습이 집배원에게 고까울 리가 없고, 주인은 집배원의 그 불편한 감정에 대한 책임을 져야 할 사람. 자연스럽게 개에게 화를 내거나 회초리를 들게 마련이다. 자기 소명에 충실했을 뿐인 앞집 개로서는 뜬금없이 체벌당하는 억울한 일이기도 하겠다. 그렇다. 이런 경과는 누굴 원망할 수도 없는 얄궂은 세상사의 경과이다.

세상사의 경과는 이해하지만, 천날 만날 앙칼진 소리를 들어야 하는 내 입장으로 돌아와서는, 앞집 개에게 변화가 있기를 소망해 보기도 한다. 특히 그렇게 소망해 보는 이유는, 역시 개의 놀라운 후각을 믿고 있는 탓이다. 개의 후각 능력이 신급 능력을 발휘한 고사는 너무나도 많다. 그러한 고도의 재능이 있는 만큼 선악까지도 분별할 수 있는 혜량을 지닐 수 없을까 기대해 보는 것이다. 불가능한 일일까? 상상이라도 해보자.

인간의 신체엔 많은 화합물이 내재되어 있고, 그 화합물의 분자구조는 죄다 다르다. 따라서 모양도 냄새도 다를 것임이 틀림없다. 페로몬 냄새와 도파민 냄새가 같을까? 엔도르핀과 아드레날린의 냄새는 같을까? 슬퍼서 흘리는 눈물의 냄새와 기뻐서 흘리는 눈물의 냄새는 같을까? 화가 나서 거칠게 내뱉는 목소리의 냄새와 사랑이 가득한 감미로운 목소리의 냄새는 같을까? 그와 같이 선한 사람이 풍기는 냄새와 악한 사람이 풍기는 냄새가 같을까? 다를 것이고, 개는 알고 있을 것이다. 다만 능력에 있어서 사람도 사람 나름이듯이 개도 개 나름이리라.


지난날 내 뒷집은 어느 날 문득 자랄 만큼 자란 하얀 백구를 한 마리 데려왔다. 그리고 자기들 마당이 시작되는 곳이자 내가 다니는 길가인 곳에 거처를 마련하여 키우기 시작했다. 내 종아리가 스치는 곳이어서 걱정했지만 기우였다. 그 개는 처음부터 나를 경계할 필요가 없음을 알아챘는지 내게 관대했고 과묵했다. 생면부지에서 곁을 스쳐 가도 빤히 쳐다만 봤을 뿐 짖지도 않았다. 순하고 짖지 않는 개인가도 했지만, 그러나 어떤 사람들에겐 짖었는데 매우 위압적인 우렁찬 목소리를 터트렸다. 내게는 짖지 않는 개를 며칠 스치면서 서서히 정이 들기 시작하자, 저도 정이 들기 시작했는지 꼬리를 흔들기 시작했다. 우리는 그렇게 아주 순하게 다정한 사이가 될 수 있었다.

첫 대면에도 짖지 않았던 백구는 내게서 무슨 냄새를 맡았을까? 자신에게, 또는 주인에게 조금도 해가 되지 않는 사람이라는 것을 감지해 냈기 때문이 아니었을까? 그런데 지금의 앞집 개는 영 다르다. 뒷집 주인이나 앞집 주인이나 모두 나와 다정지간이다. 그들 주인에게 내 마음은 그렇게 똑같이 순하다. 하지만 뒷집 개는 짖지 않았고, 앞집 개는 앙칼지게 짖는다. 두 개가 각기 지닌 성격 탓인지 후각 능력 탓인지 알 수는 없다. 다만 백구의 태도를 보건대 앞집 개도 사람의 냄새를 심원하게 맡을 수도 있지 않겠는가 하는 생각이 들지 않을 수가 없게 된다. 즉 마음의 냄새를 맡아서 짖을 때는 짖고, 꼬리 칠 때는 치는 현명을 가졌으면 하는 바람이 생기는 것이다.

그로써 나쁠 일이 없다. 분별하여 짖으니 주인과 집배원에게도 좋고, 개 자신에게도 좋고, 그리고 담장 너머에서 매번 마음이 긁히는 나에게도 좋다. 마음의 냄새를 맡는 혜량! 사실 우리들 인간에게 정녕 필요한 일이지만, 불행히도 우리 인간에게는 그런 전능한 신급 능력은 없는 듯하다. 어쩌겠는가. 앞집 개의 개과천선에 기대어 꿈이라도 꾸어 본다. ♣

# 아름다움, 그 불멸의 빛

호수에 깃든 석양의 아름다움에 매혹된 채, 모든 생활을 제쳐놓고 매일 석양이 불붙을 저녁 무렵을 기다리며 일주일간을 야영 생활을 하는 나에게 있어서, 아름다움은 결코 논리적인 것이 아니다. 단지 아름답기에 매혹되어 모든 신경을 끌어모아 시간을 중심으로 말 없는 유희를 즐기기는 하지만, 그 가운데 무엇인가 불분명하게 치솟는 겸허한 예식을 느끼고, 거기서 사뭇 영원한 행복의 감각을 갖는다.

또는 천공의 고요한 어둠 속에서 빛나는 별을 바라보노라면, 아무리 보아도 신비하고 아름다운 모습이다. 그 모습을 볼 때마다 나는 언제나 별들의 화관을 머리에 얹고, 별들의 점술로 행운을 기원한다.

**색의 길**

그동안 경솔한 모든 것이 사라지고, 영원의 볼륨이 점차 고조되며, 이윽고 신성한 삶의 자각이 극치를 이룬다.

그런가 하면 해안에 앉아 물결이 일파만파로 밀려 오가는 모습을 보고 있을 때, 바다와 하늘의 푸르고 파란 생기 위에 새하얀 물거품 띠가 때로는 은빛으로 때로는 금빛으로 축제처럼 반짝이노라면, 우리는 무슨 일인지 몰라도 마냥 생명 이상의 그 어떤 아련한 감동을 느끼게 마련이다. 이때의 감동도 아름다움의 전유물이다. 조형적이거나 감성적으로 아름다움을 세분화할 수도 있겠지만, 감동은 아름다움의 전체에 공유된다.

아름다움은 삼라만상의 모든 것에서 나타난다. 시시각각 흘러가는 구름이 없다면, 구석구석 스며드는 수액이 없다면, 여기저기를 넘나드는 바람이 없다면, 또는 계절이 없다면, 시간, 자전과 공전, 선과 악, 투정과 불만 ― 아니, 움직이는 모든 것이 없다면 우리의 오감은 도대체 무슨 재주로 아름다움을 느낄 것인가!

그렇게 나타난 아름다움은 변화하는 속에서 끝없는 감각을 일으키며 우리의 삶을 자극한다.

우리는 목적이 무엇이건 자기 자신의 아름다움도 생각한다. 그러나 거기에는 다소의 노력이 필요하다. 동식물도 매 마찬가지지만, 의복을 걸치는 인간은 특히 세심한 주의를 기울이며, 여성은 특히 이성이나 지성보다도 더욱 뛰어난 미관을 갖추고자 노력한다. 그래서 거리는 황홀하게 걸을 만하다. 시각적으로는 일단 그렇다. 그러나 가슴속 깊은 곳에 울리는 기쁨은 역시 맑고 밝은 얼굴을 한 채 소탈한 미소를 짓는 여성에게서 온다. 다행히 그런 여성을 거리의 가로수 사이에서 얼마든지 볼 수 있다. 그런 그녀가 초라하고 지친 거리의 노숙자에게 동전 몇 닢이라도 쥐어 주는 태도를 보인다면, 그 모습이야말로 온갖 사랑이 복받쳐 오를 멋진 아름다움이다.

나 자신을 위해서나, 사회와 세상을 위해 사소한 감동을 자아내어 보라! 그 모습은 참으로 순박하고, 온갖 미소가 환희처럼 쏟아진다. 별난 사람들이 닦아와 감동의 눈물을 조롱할지라도, 그에 대한 순한 부끄러움은 오히려 골목길을 활짝 웃게 한다. 이것이야말로 아름다움의 극치다. 우리는 궁극적으로 이 아름다움을 삶의 목적으로 해야 한다.

감동이 깃든 그때그때의 아름다움을 그대로 지켜나갈 수만 있다면 신도, 혼도 필요치 않으리라. 내 안의 자각만이 사랑의 선율을 울리며, 먼 산길이 끝날 때까지 끝끝내 지치지도 않으리라! 호젓한 산길에서 무수한 꽃을 만나면, 거리의 불량배도 제 위치를 잃고 한동안 멍청한 듯 순한 언어를 구사하리라! 그러면 그에게 받은 치욕마저도 잠시 덮어 두게 된다. 역시 우리 어딘가에는 영원한 선이 숨 쉬고 있다고.

물론 여전히 유지되는 이후의 삶에서 하루하루의 생활에 얽매여

**색의 길**

금전을 저울질하는 때가 닥치면, 그때는 사치의 아름다움이건 이성의 아름다움이건 간에 죄다 망가져 버린다. 사랑이 등댓불처럼 비추고 있어도 결국은 빈곤의 풍파를 이겨내지는 못한다. 아름다움도 거기서 빛이 꺼진다.

아름다움의 가치는 역시 그것을 누릴 수 있는 형편이 있을 때만 빛난다. 그러면서도 삶의 형편과 무관한 예술론이나 도덕성의 관습에 사로잡힌 자는 당연히 항변하리라 여겨지는데, 냉큼 인정한다. 삶의 형편이 한 개인의 마음과 눈을 가릴지라도 그 사람의 친구는 비너스의 조각상 앞에서 인체의 완전한 아름다움을 감탄하고 있는 것이 현실이다. 또한, 부모가 삶의 투쟁을 힘겨워하는 동안에도 아이는 예쁜 인형을 갖고 놀기도 하고, 야생동식물로서는 아비규환인 산불의 불꽃을 사진작가의 눈은 불꽃의 아름다움을 형상화하기에 여념이 없기도 한 것이 현실이다.

그런 현실처럼 아름다움은 개개인의 형편에 따라 화려한 외출을 하든지, 아니면 식어버린 재처럼 숨죽이기도 한다. 하지만, 결국엔 예술론자나 도덕론자들의 개념처럼 무궁무진한 양상의 아름다움은 어느 사실에도 변하지 않는다. 우리는 어떤 피폐함과 처절함 속에서도 그것을 인정해야만 한다.


아름다운 것이라면 언제나 새로운 생각과 생활의 기쁨을 불러일으킨다. 그런가 하면 거친 이성이 순화되기도 하고, 거친 삶이 세공되기도 한다. 나는 어떤 실의에 잠겨있다가도 아름다움을 보거나 느낄 때, 나 자신에 대해 매우 관대해짐을 발견하곤 한다. 그순간 길이 밝아지고 앞이 맑아진다. 삶의 희망이 이렇게 오는 것이다.

아름다움을 느끼는 순간 속에서 운명이 바뀌기란 어렵지 않다. 용기와 의지로 뒤바꾸는 운명은 기력과 시간을 모조리 허비하고 나서야 비로소 모습을 드러내지만, 아름다움의 도취에 의해 뒤바뀌는 운명은 그 순간부터 새로운 모습으로 나타난다. 그리고 새로운 삶을 향해 출발한다. 그 출발은 의지로도 어쩔 수 없는 정열의 힘으로 쉬 불타올라 쉬 꺼질 수도 있으나, 때로는 지고한 장인의 역사를 이룰 수도 있다.

아름다움은 행복과 불행위에 뜬 불멸의 빛과 같은 존재이다. 우리는 그 밝고 따뜻한 빛을 품어야 한다. 그로부터 우리를 빛내는 날 우리들의 삶과 우리들의 세상은 도무지 죄악이 없으리라. ♣

색의 길

# 말 없는 노인과 언어

시골의 풍경은 선량하기 이를 데 없다. 몰려드는 빛과 바람이 시시각각 풍경을 변화시켜도 그 기품은 한결 변함없다. 계절에 따라 겪는 삶의 풍파에도 마찬가지다. 차디찬 입맞춤에도 사랑의 혼을 품고, 뜨거운 입맞춤에도 사랑의 혼을 품은 채 잔잔한 미소를 잃는 법이 없다.

허름한 집을 나와 들길로 접어드는 주름지고, 구부러지고, 거칠어진 노인의 발걸음 속에는 어김없이 느긋한 여유가 묻어있다. 답답한 듯 빨리 지나쳐 가기를 초조히 기다릴 필요가 없다. 길옆에 비켜서서 그냥 해바라기 같은 미소만을 짓고 있는 편이 옳다.

하지만, 낯익게 지내왔으며, 서로의 생활을 다소 아는 사이로서는 최소한의 인사 정도는 필요한 법. "안녕하십니까, 밭에 나가십니까?"라고 인사했다. "웅!"이라는 답변만이 들려왔다. 더 이상의 말은 사치이다. 이 시골 노인의 평생은 발길, 손길에 의해 유지되었지 유창한 대화에 의해 만들어진 것이 아니다.

그는 말 없는 자연의 소유물이다. 그래서 말없이 성장해 왔고, 말 없이 전답을 일구며, 말없이 삶의 경과를 거쳐 가고 있을 뿐이다. 도시의 위락에 몸을 담근 자는 "도대체 무슨 재미로 살아가는 것일까?"라고 애잔한 눈빛을 띠겠지만, 그것은 마치 "도대체 왜 평화가 필요할까?"라고 말하는 것이나 다름없다. 도시를 떠나 고요한 시골 풍경을 바라볼 때 어김없이 빛나는 갈망의 눈빛. 눈물로 혼을 적시며 평화를 갈망하는 저 자신의 애잔한 눈빛을 깜빡 잊은 것이다.

하긴 고도의 기억력을 요구하는 도시의 생활 속에서는 그만큼 기억력을 잃기도 쉽다. 청명한 의식이 생겨난 때가 아득하리라 여겨진다. 정제된 언어가 있을 리가 없다. 쉬 싸움판이다. 싸움의 백미는 역시 언어이다. 자동차와 자동차가 부딪쳐도 언어가 먼저 나서며, 국가 간의 충돌이 일어나도 언어가 먼저 나선다. 싸움뿐만이 아니다. 그 싸움을 말리고 경계하는 도덕의 백미도 역시 언어이다. 사랑엔 간섭이 없으랴. 토라질 때나 달콤한 밀어를 나눌 때나 언어는 어김없이 나타나 서로의 심기를 대변한다.

**색의 길**

언어처럼 부지런한 것도 없으며, 언어처럼 피곤한 것도 없다. 문명의 어머니인 언어로서는 당연할 수밖에 없다.

노인이 찾아가는 들길 위를 가로질러 가는 전선에도 언어는 흘러가고 있다. 아득히 먼 곳의 음성들이 다양한 옷을 걸치고 마구잡이로 종횡하고 있다. 슬프고, 아름답고, 정다운 음성들도 있겠으나, 그러나 웬일인지 도시의 번잡스러움이 먼저 느껴진다. 그런 까닭에 슬며시 뚝 자르고 싶은 때가 한두 번이 아니다.

만약 그렇게 되면 전선의 이편저편에서 당황과 의심의 혼들이 갑자기 물 끓듯 보글거릴 것이다. 언어가 사라지는 것은 이렇게 혼란한 재앙이 된다. 전선 아래를 지나 들길로 가는 말 없는 노인 역시 재앙이 된다. 도저히 믿을 수가 없다.

언어를 숨기거나 나타내는 일에도 지혜가 따른다. 근엄하게 보이고자 침묵을 지키는 사람 앞에 서면, 나도 몰래 침을 꿀꺽 삼킨다. 긴장되고 불안해서다. 당연히 그가 불편하다. 그 사람의 그런 태도는 마치 상호 간의 화합을 원치 않은 처사와도 같다.

물론 자기 자신을 간추리는 일은 필요하다. 하지만 간추린 자아를 안으로 갈무리하느냐 밖으로 표출하느냐에 따라 상호관계의 곡조는 달라진다. 나는 안으로 갈무리하는 편을 옳게 여긴다. 자애심으로 포용하는 마음이어야 한다는 뜻이다. 이 마음을 옳게 다스려 말하는 사람은 우아하면서도 따뜻한 연꽃과 같다. 하지만, 무조건 밖으로 표출되는 자아는 대체로 사나운 개를 만난 것처럼 경계심을 품게 한다. 종속적인 계층이냐, 영원한 남남이냐의 갈림길에서 서성이다가 그냥 되돌아가고 싶을 뿐이다. 그런 자는 당연히 그의 지혜를 의심할 수밖에 없다.

성격에 의한 침묵은 그나마 낫다. 내성적인 사람은 대체로 군중 앞에서 자기표현을 꺼린다. 그러면서도 누구 못지않은 수다를 가슴에 담고 있다. 만약 군중이 아닌 친구와 단둘이서라면, 그의 수다는 해안의 파도처럼 끊임없이 철석이게 된다. 어쨌든 그는 많은 시간을 침묵하고 있지만, 끊임없이 말하고 있다. 물론 사악한 음모는 없다.


「침묵은 금이다.」라고 했다. 그러나 이것은 절반만 맞는 말이다. 사랑하는 연인이 그 말을 교훈으로 삼고 진종일 말 한마디 없다면, 산더미 같은 금을 준다 한들 좋아할 리 없다. 봄의 훈향과도 같은 달콤한 입김을 풍기며 종달새처럼 명랑한 언어들로써 맛보아야 할 사랑의 진미. 그것이 사라지다니, 참으로 안 될 말이다. 연인의 침묵은 누구라도 달갑지 않은 일임이 분명하다. 그러니 바꾸어야 한다. 「가려서 하는 침묵만이 금이다.」라고. 그렇게 되면 사소한 일로 토라진 채 잠시 입을 굳게 다물어버린 연인의 태도는 매우 성공적인 효과를 볼 수 있다. 누구라도 안절부절못할 테니. 그리고 그 결과는 더욱 밀착된 애정이다.

**색의 길**

정신과 의사도 그 효능을 알고 있다. 그들이 가장 요구하는 일은 정신질환자의 입술을 벌리게 하는 일이다. 그리고 십 분이건 한 시간이건 귀만을 열어놓고 있다. 그 묵묵한 침묵으로 말미암아 거의 대체로 질환의 원인을 알아내고야 만다. 이 침묵이야말로 틀림없이 금이다.

간혹 거의 완전한 침묵에도 평화롭고 아름다운 느낌을 나타내는 사람이 있다. 그는 어떤 경지에 오른 달관의 소유자다. 하지만 「경지에 오르다」라는 표현을 얻기까지는 그만큼의 어떤 심층적인 경과가 있어야만 한다. 대표되는 것은 역시 장인(匠人)의 연륜이요, 인생의 연륜이다. 말없이 지나가는 80대 노인의 가슴속에서도 그러한 연륜이 있다. 그리고 달관의 경지가 자연의 섭리처럼 펼쳐져 있다.


묵묵히 멀어져 가는 그의 조그만 등판은 더 넓은 들판처럼 평화롭다. 물론 평생의 희로애락을 통하여 만들어 온 언어도 그 속에 있다. 이웃과 가축에게, 자연과 곡식에 던지는 말이 있고, 추억과 그리움, 회한과 희망, 그리고 하늘에 던지는 말이 있다. 타인이기에 들을 수 없는 언어들이지만, 그것은 언제나 바람에 씻기고 물결에 씻긴 청결한 감회처럼 마음을 평화롭게 한다. 그러니 말 없는 노인을 스쳐 지나는 것은 늘 영광스러운 일이다. ♣

# 시골에서 갖는 예술

    오랜 풍파에 영근 돌들이 즐비한 시냇가에서 허리춤 높이만큼의 돌탑을 쌓았다. 거의 완성하여 마무리를 하고 있을 때 갑자기 뒤에서 "햐, 멋있습니다. 예술 같아요."라는 탄성이 들렸다. 관광지인 이 골짜기에 여행을 온 중년의 두 남녀가 완성의 막바지에 이른 나의 돌탑을 쳐다보고 던진 말이었다. 예술을 의도한 것은 아니었지만, 가급적 단단하고 높게 쌓으려 했던 노력이 예술적인 결과를 나타낸 모양이었다.

    우연히 일어난 결과지만, 그러나 그저 얻은 것이 아님은 분명했다. 서너 시간 수없는 발걸음으로 돌들을 골라 날랐고, 이들 하나하나가 단단한 탑을 이루는 역할을 할 수 있도록 짜임새 있게 배치하는데

**색의 길**

온 신경을 집중한 경과가 있었기 때문이다. 이때의 내 감각은 분명 일반적 의식의 것이 아니었다.

돌탑을 쌓으려고 마음먹은 것은 부모님 생각 때문이었고, 그 자체만으로도 정성을 다해야만 할 이유가 충분했다. 젊은 날 나는 일찌감치 부모님의 사랑과 믿음을 뭉개고 정처 없이 방황하여 부모의 삶을 격랑 속 조각배처럼 거칠게 흔들리도록 만들어 버렸다. 나의 이러한 기행 탓에 그들은 평화로운 해안에 닿아 보지도 못한 채 쓸쓸히 떠났고, 나는 매우 괴로운 죄책감을 가슴에 안았다. 그 죄책감을 씻는 일이 장난처럼 행할 일이 아니잖은가.

당연히 손끝에 진심을 담았다. 돌탑이 오래 지탱되도록 기단을 넓게 하고 보조 축을 만드는가 하면, 바람의 저항이 완화되도록 탑의 중앙에 바람의 통로를 만들기까지 하며 매우 정성을 기울였다. 내가 보아도 옛길의 길목이나 시냇가 등에 간간히 볼 수 있는 돌탑과 다른 특별한 맵시가 느껴졌다. 그 탓에 중년 남녀의 눈에 예술적 조형물로 보이게 된 듯하다.

물론 그들의 칭찬을 되새김할 마음은 없다. 그저 돌탑을 제대로 세웠다는 안도감과 그로써 진심 어린 사죄의 혼을 극히 조금이나마 부모가 있는 공간에 던졌다는 자위적인 생각만이 있을 뿐이다. 돌탑이 멋진 모습이 된 것은 예술을 구현한 성공이 아니라 내 심상의 성공일 터이다. 다만 나는 매우 몰입된 심혼으로 탑이 나의 회한의 참

배를 부모님에게 전하는 모습이 될 수 있도록 작업을 했고, 그 행위만큼은 예술의 것이라 말할 수 있겠다. 결국 나는 나도 모르게 문화의 불모지인 이 시골의 어느 산골짜기에서 예술과 함께 한 것이다.

도시라는 문명 속에 많은 예술론들이 있다는 것을 안다. 그 예술론들을 일일이 섭렵해 보면 천지개벽이 일어나던지 천지창조가 일어날지도 모를 무궁한 미학이 존재한다. 애석하게도 나는 생애 대부분을 그 미학에 제대로 접근해 볼 여력을 지니지 못했다. 따라서 이 시골 밖의 예술론은 나에게 미궁이다. 다만 절대적 미궁이라고는 할 수 없다. 인생의 경과에 있었던 젊은 날 한때, 도시 생활 속에서 연극이나 연주회의 관람, 전시회 구경, 공원의 조각상 등의 예술적 매체를 피상적으로나마 스쳤던 적이 있기 때문이다. 하지만 그때의 그 예술 상황들이 정물화로 그려지기에는 너무 오랜 세월이 흘렀다. 그저 추억이라는 바탕에서 피어나는 아련한 안개일 뿐이다.

그리고 나는 오랫동안 이렇게 시골의 산야 속에 놓여 있다. 나의 모든 것이 자연화된 이런 상황에서 특별히 예술을 주지할 이유는 없다. 더욱이 약초꾼으로서 진종일 흙길을 다니는 나 같은 허름한 촌부에게 있어서 도시의 고상한 귀부인 자태와 같은 예술은 의식적으로도 근접키 힘든 거리감이 있다. 실제로 이곳 시골에서 누구와도 예술이라는 단어를 논해 본 적이 없다. 시골에서의 예술은 그만큼 아득하다.

**색의 길**

한 가지만큼은 분명한 것은, 내가 예술에 우호적인 성향을 가졌다는 점이다. 그 어느 상태이건 예술의 상태를 눈여겨보거나 매혹된다. 다만 예술 행위에 대한 명리를 가지고 있지 못한 탓에, 숱한 소통의 공간을 갖춘 스펀지 같은 감각을 열고 있는 것만으로 예술의 향응을 얻는 행태만을 가지고 있다. 다행히 열어놓고 있는 감각은 휑한 지평선과 수평선을 바라만 보는 수용체가 아니다. 거기에 있는, 느껴지고 그려지는 각양각색의 형색들과 소리, 냄새와 함께하며 자아의 이성과 이상을 발현시킨다. 이러한 상황은 젊은 날 예술이라는 공연, 전시회 등의 감상에서 느끼고 겪었던 요소들과 하등 다를 바가 없다. 감각을 열어 눈앞에 펼쳐진 사물을 접하며 엉겨 붙는 일. 이것은 틀림없이 예술과 교접을 하고 있는 일이다.

예술을 말해보자. 많은 말들이 있겠으나, 예술이란 모름지기 낯선 경험인 까닭에 진실한 구체성이 없다. 예술성 자체는 자유의 의지를 지닌, 개성적이면서도 창의적이고, 몽환성이 있고, 이상향의 길을 품고 있어 우리의 일상과 차별화된다. 그러나 예술의 표출은 제한된 시공간으로 특권화되는 것이 아니며, 누군가에 점용 되어 그들만의 교양이나 품격, 또는 사치나 장식품으로 이용되는 것이 아니다. 예술은 실바람에서 폭풍까지의 바람처럼 불고 있는 것이며, 심연에서 천공까지의 형이상학과 사랑을 맺고 있는 것이며, 모든 기억의 추상인 꿈처럼 영혼의 날개를 달고 있다. 그렇게 예술은 무수한 별들의 반짝임, 별들의 신화처럼 우주에 깔려있다.

이 시골의 상황도 마찬가지다. 순정적이든 열정적이든 삶의 의지에 대한 관념만 열어놓는다면 예술의 향응은 무궁무진하게 된다. 당장에 자연의 모든 현상을 향해 열려있는 흙에다가 씨앗 하나를 뿌려보라. 싹이 트면서부터 당신은 생명의 신비감에 대한, 하나의 형체로 조형화되는, 오감이 반응하는 기운에 대해 거의 영적인 친밀감을 느낄 것이다. 나는 그것을 예술이라 부른다. 이런 예술이기에 누구나 어디서건 예술을 자작할 수 있고 향유할 수 있게 된다.

그러나 우리들 대부분이 자기 삶에 내재된 예술의 저변을 인지하지 못한다. 그저 마주치고 흔들리는 바람 앞의 꽃들처럼 물리적 반응의 소요를 일으킬 뿐이다.

그러고 보면 예술의 주객은 다른 환경의 요인에 있는 것이 아니라 우리 개개인의 감성에 있고, 그 감성에 따라 예술의 성지와 불모지가 정해지는 것이라 해야겠다. 그러므로 예술의 지복을 갖거나 갖지 못하는 것은 결국 우리 자신의 감성을 유용케 하느냐 못하느냐의 문제이리라. 이런 점에서 감성을 유용하게 사용하는 나는 나도 모르게 예술을 향유하고 있음이 분명하다. 실제로 그 징표도 있다.


내 집 마당엔 커다란 감나무가 하나 있어 사시사철 그 성쇠를 보게 된다. 매일을 보는 탓에 근성으로 보는 경우가 대부분이지만, 그러나 때로는 시인의 창작처럼 오묘한 미학을 느끼는 때가 있다. 거

**색의 길**

대한 고목 같은 감나무의 수많은 잔가지 중 하나에 첫 새순이 올라왔을 때의 모습이라든지, 깊은 밤 잎들 사이 어디에선가 호랑지빠귀의 깊은 한숨 소리라든지, 한 마리 외로운 딱새가 주홍 노을빛 세계를 구도자처럼 쳐다보며 앉아있는 모습들에서 삶이 새롭게 채색되는 정서를 분명히 느낀다. 이럴 때 나는 내 삶의 무게가 느껴지지 않고, 내 인생의 가치가 읽히지 않는다. 오로지 그림 속에서 걸어가는 나그네의 실루엣처럼 영원히 가고 가는 아득한 생명의 순환만을 느낀다. 그리고 더없이 마음이 평화로워진다.

그렇게 나는 한 그루 감나무만으로도 예술을 풍부하게 향유한다. 감성을 유용하게 사용하는 탓이다. 내가 지닌 환경의 사물에서 상념, 사념, 정념으로 일어나는 나의 감성은 조물주다. 일상의 마음이 가질 수 없는 새로운 세계를 떠올리고, 만들고, 풍미한다. 그런 점에서 돌탑을 예술적으로 쌓든 안 쌓든 시골은 시골대로 예술의 만물상이다. 마당의 감나무나 화단의 새싹들에서 많은 예술적 풍미를 얻듯, 그런 것들로 온통 채워져 있는 것이다. ♣

# 역경의 길

못은 두 번의 힘을 받는 동안 거침없이 나무 절반을 찌르고 들어 갔다. 그리고 세 번째 힘을 가한 순간 못은 갑자기 앞쪽 감나무를 향해 크게 휘고 말았다.

못은 쇠라는 강한 힘을 기반으로 하지만, 그 힘의 폭이 좁고 길게 분산된 탓에 찰흙 같은 유연한 조직 구조를 지닌다. 그 때문에 조금 만 불협화음이 생겨도 휘어지고 만다. 그래서 휘어진 옆구리를 혹사 당하는 산통을 겪던지, 폐기되든지 하는 비운의 숙명을 겪게 된다.

한 존재가 비운의 숙명을 갖는다는 것은 그 운명에 있어 대단히 비감한 일이다. 우리가 살아가는 일도 이 비감한 일을 맞지 않기 위해 꿈꾸고, 배우고, 노력하는 일이며, 그로부터 문명의 서사시가 장대하게 집필되어 왔다. 그러나 삶의 이치는 고정된 것이 아니라 끊임없이 변환하는 것이어서 한 개인의 길이 바르다 해도 어둠에 가려진 절벽을 만나기도 하고, 성공의 빛이 찬란하다 해도 모든 시공간을 빛내지는 못한다. 못이 예기치 않게 구부러지고 만 것도 결국은 끝없는 변환 속에 있는 삶의 이치에 귀속된 것이다. 다만 생의 긴밀성으로 인해 굴복하지 않는 태도로서 나아가기 때문에 결과는 대부분 희망 속에 놓여 있고, 그로부터 자기 존재의 영광을 무사히 지켜낼 수 있다. 그래서 휘어진 못은 잠깐의 손질로 바르게 잡혔고, 앞으로 계속 나가기 위한 힘을 얻었다. 그러나 망치질을 받은 못은 다시금 힘없이 휘어져 버렸다.

흔히 있는 일이다. 한 번의 휘어짐으로 인해 태초의 올곧았던 힘이 이미 분열되어 버린 탓이다. 가난한 자의 굴레와 같은 악순환의 굴레에 빠지고 만 셈이다. 그래도 우리는 살아간다. 악순환의 굴레란 나쁜 일로 인하여 나쁜 일이 생기는 것일 뿐, 두 개의 나쁜 일이 완벽히 흡착된 것은 아니며 동일하지도 않다. 그런데다가 뒤따르는 나쁜 일은 시간차를 둔 풍파여서 당장은 도피처를 찾는 힘과 희망을 움켜잡을 수 있다. 나쁜 일과 나쁜 일 사이에는 그런 여유가 있고, 그 여유 있는 시간에 해결책을 찾으며 우리는 억척같이 살아갈 수 있는 것이다.

해결책의 일환으로 못을 아예 뽑아낸 뒤 분열된 힘이 최대한 모여

정렬될 수 있도록 휘어진 옆구리를 정성껏 두드린다. 가급적 사용해 보려고 용을 쓰는 것은, 가난으로 인한 근검절약의 습성 때문만은 아니다. 자연적 존재이건, 인위적 존재이건 존재란 모름지기 신성한 탄생의 경과를 거친 생의 의미가 있고, 그에 대한 예를 갖출 뿐이다. 강변에서, 오솔길에서, 들녘에서 갖는 내 사색은 그렇게 나를 훈육했다. 정녕 고쳐 쓸 수가 없다면 보내야 하리라. 하지만, 못은 삭아 부러지지 않는 한 사용할 수가 있다.

결국 못은 다시금 잘 펴져 굳센 믿음까지 준다. 뽑아낸 자리에 대고 자신감 있게 다시 망치질한다. 그러나 믿음, 기대감, 자신감 모두 허망하게 무너진다. 처음 들어간 곳만큼 들어갈 뿐, 이번에도 역시 휘어져 버리는 것이다. 가지 못할 길, 가지 말아야 할 길이 있다는 것은 새삼스러운 일이 아니다. 그런 길은 대체로 이단의 길이며, 구태여 세밀한 분석을 거치지 않더라도 본능, 교육, 경험 등으로 일구어져 하나의 금기사항으로 의식화되어 있는 길이다. 만약 이 길만 제대로 피할 수 있다면, 인생은 더없이 안정되고 세계는 무궁한 평화 속에 잠기리라. 그러나 또 다른 무수한 의식에 의해 뜻대로 되지 않고, 그대로 이단의 길을 걷고 마는 탓에 수많은 상처와 고통을 얻고 만다.

기대가 허물어져 허탈함을 얻지만, 대신 무언가의 강력한 지반의 감각을 낚아챈다. 비로소 절반 이상 완성되어 있는 다소 무거운 공작물을 들어 나무 뒷면을 한번 살펴본다. 옹이다. 나무 반대편에 갈

색의 길

색의 동그란 옹이가 부지불식간에 만난 고양이 눈동자처럼 빤히 쳐다본다. 순간 내 허실에 대한 실소가 터진다. 나는 못이 계속 휘어지는 이유를 못 힘의 분열 탓으로만 여기고 있었고, 이러한 오류로 인해 여태껏 막다른 길을 걷고 있었던 셈이다. 마치 내 인생길처럼.

나는 몇 명 있는 내 조카들이 부디 잘 되기를 수시로 염원한다. 조카 중 특히 인생길의 빛이 필요한 한 젊은 조카에게 그 염원의 마음으로 늘 강조하는 것은 직종이 무엇이건 하나의 즐거운 길, 전문적인 길, 정직한 길을 제대로 찾으라는 것이다. 그런 길을 그토록 강조하는 까닭은 생활의 힘이 생길 수 없는 막다른 길만을 늘 방황하다가 결국엔 무너져버린 내 인생길의 회한 때문이다. 이 회한은 막다른 길을 걷다가 휘어져 버린 못의 길에서 다시금 나타나 잘못 걸어온 내 인생길을 질타한다. 이런 회한의 아픔이 있기에 젊은 조카에게 평생을 무난히 걸어갈 수 있는 인생에 대한 반석의 길을 말하는 것이며, 노력의 길을 말하는 것이다.

이제 나도 다른 길을 생각해야만 한다. 옹이가 있는 한 못을 다시 펴서 박는 들 될 일이 아니다. 새 못을 박아도 마찬가지다. 다행히 인간은 기능성 동물인 데다가 모든 물질은 자기 내부에 도심의 골목길처럼 사방으로 열린 길을 갖고 있다. 전자현미경으로 보면 분자와 분자 사이에 가만히 있어도 굴러갈 수 있는 정도의 광활한 들판과 탄탄대로가 있다. 분자 자체도 마찬가지다. 그래서 쇠도 장난감처럼 조각되고, 다이아몬드도 세공되며, 집채만 한 바위도 나무상자처럼 정사각형으로 잘린다. 아니면 나무를 교체하는 방법도 있지만, 이미 재단하여 잘라놓은 나무를 선뜻 교체하기란 쉽지 않다. 어떤 상황에서는 교체할 나무도 없고, 못도 하나만 있을 수가 있다. 그러니 못이 휘어지고 옹이가 가로막아도 가야 할 길이라면 갈 수 있도록 노력해봄이 옳은 일이다.

결국 같은 못, 같은 나무, 옹이가 있는 그 자리를 고수하여 나무와 나무를 결속시켰다. 전동드릴의 힘을 빌려 인위적으로 비단길을 내준 후 그 길을 걸어가게 한 것이다. 못 자체로서는 다소 씁쓸한 일인지도 모르겠다. 저도 자기 힘으로 가야만 할 길이 있고 그 길에 대한 자부심이 있을 터이다. 그러나 인생길이 자기만의 길일지라도 그 인생길을 닦은 삶은 타인이 내어준 길을 따라 걷는 일이다. 움직임의 어느 한순간에도 타인이 관여되지 않은 것은 없다. 몸마저도 부모로부터 생성되지 않았는가. 나무도 누군가가 사각의 목재로 만들어주었으며, 못도 누군가의 땀으로 주물 되지 않았는가. 그런데다가 망치의 힘은 자신의 절대적 기반이 아니던가. 그러니 전동드릴의 조력으로 갈 길을 가게 되었다고 자책할 필요는 없다.

오늘날 종종 재벌 2세의 오만한 광기가 사회문제로 대두되곤 한다. 재벌 2세의 길은 그들 부모가 만들어준 비단길이다. 그 비단길은 그들로서 은혜의 길이요, 보은의 길이기도 하다. 은혜와 보은은 인간과 인간을 따뜻하게 결속시키는 사랑의 불이다. 이때 비단길은 더없이 지당하고 아름다운 길일 뿐, 어떤 문제도 없다. 그런데 그들은 영

색의 길

엉뚱하게도 자신들이 당연히 누릴 힘의 길로 착각하고 있다. 그래서 은혜와 보은의 비단길이 찢는 오류를 범하고 만다. 이는 당연히 수치스러운 일이요, 자책할 일이다.

무수한 못들이 저마다 제 길에 들고, 결속과 결속이 이어져 내게 정녕 필요했던 하나의 아담한 간이화장실이 드디어 완성되었다. 사뭇 덩치가 큰 시설물을 만든 셈이라 지긋이 바라보기를 멈추지 않는데, 보고 또 보아도 인생의 영광된 완결처럼 그윽한 감회를 준다. 그리고 막다른 길을 걸었지만 포기하지 않은 노력에 의해 기어코 결속의 의무를 다하게 된 휘어졌던 못이 상기된다. 저 속 어딘가에서 자신의 역경에 대한 회한을 품고 있겠지만, 사실은 나와 옹이 탓일 뿐 제 잘못은 없다. 그러기에 제대로 길을 걸은 다른 못보다 오히려 위대한 길이었음을 넌지시 말해 준다. 이것은 정말 따뜻한 마음으로 던지는 말이다. ♣

## 작은 예의

청량한 가을의 정경에 따라 곡들이 선정되었음을 느낀다. 연주되는 곡들은 죄다 수정처럼 밝은 빛을 반사하고 실개울처럼 자잘한 여울의 소리를 낸다. 가볍고 명랑한 시간이다. 아주 순하게 즐거움의 분위기를 타며 감미로움에 몸의 감각이 살푼살푼 흔들린다. 저 앞중년 부인의 팔이 손자의 팔을 잡고 너울거리고, 팔짱을 끼고 앉은 애정 깊은 연인들의 상체가 부드럽게 파도치고, 친구 사이인 듯 다정하게 붙어 앉은 두 명의 젊은 여성들도 그렇다. 사실 여기저기 그런 모습이 보인다. 가을에 걸맞은 곡의 감정과 악기들의 감정이 누구나 감미롭게 흔들릴 만한 요람이 된다. 절대 깨치고 싶지 않은 순수한 서정이다.

　자연에 동화된 작은 노천 무대에서 펼쳐지는 소박한 클래식 콘서트의 분위기다. 청중으로 앉은 모두에게 낭만의 추억이 소나무 향처럼 짙게 농축되고 있는 시간이다. 살아가면서 이런 시간의 경험을 갖기란 쉬운 일이 아니다. 작심한 뒤 전국의 공연 안내장을 거머쥐고 뛰어다니지 않는 한 말이다. 그래서 청중으로 앉은 이 시간이 귀한 시간이기도 하다.

　사방이 활짝 열려 누구나 원하면 언제든지 청중이 될 수 있는 곳이다. 이런 곳에서 청중으로 앉았다는 것은 앉은 사람들의 선택이다. 저마다 다를, 앉을 당시의 마음을 알 길은 없다. 무작위의 사람들이 왕래하는 관광지인 탓에 온갖 복잡다단한 마음들이 있음을 알 수 있을 뿐이다. 더구나 돈 아까운 줄 몰라도 되는 무료이다. 결국 이곳 노천 공연장에서의 청중은 시작과 끝이 없는 유동의 공기처럼 스며 있는 셈이다.

　긴장은 공연자들만의 몫이리라. 공연자들은 공기의 흐름을 솜사탕처럼 뭉쳐야 한다. 가을과 흥에 맞는 선곡, 노련한 음정 구사, 즐거운 멘트나 퍼포먼스 등으로 청중의 감정을 환희로 물들여야 한다. 그 어느 하나라도 변성이 뾰루지처럼 튀어나와 버리는 순간 청중의 감정은 냉담해진다. 해산이 시작되는 것이다. 휑하니 뚫린, 관광을 목적으로 한 사람들만이 내왕하고 있는 길목의 노천 공연장에서는 더더욱 그렇게 된다.

청중의 한 사람으로 앉아 있지만, 깊고 세밀한 사념을 즐겨하는 나는 그런 긴장을 낚아채고 있다. 다행스럽게도 시종일관 좋은 공연이다. 공연자들의 뛰어난 능력과 성심으로부터 좋은 음정들이 흘러나와 환경에 걸맞은 흐름과 분위기를 잘 이끌고 있다. 바이올린은 산들바람을 불러일으키고, 플롯은 휘파람새를 날려 보낸다. 청중들의 몸이 절로 반응한다. 들꽃처럼 하늘거리고, 모빌처럼 웃고, 윤슬처럼 손뼉을 친다. 순수의 서정이 꿈결처럼 나타나는 곳, 모두가 평화롭고 행복한 낙원이다.

그러나 …….

애석하게도 낙원은 순간적인 꿈결 속에만 있다는 것을 이미 오래전에 알았다. 우리는 언제나 깨어나야 하고, 현실의 옳거나 그른 이해관계와 당면해야 한다. 결국 그런 일이 발생한다.

공연의 분위기를 떠나 주말의 관광지 풍경을 떠올려보라. 관광지의 노천 무대여서 공연의 주변은 어쩔 수 없이 어수선하다. 끊임없이 오가는 보행자들이다. 그들 중 어떤 이는 무심하게 지나가고, 어떤 이는 기웃거리다 떠나가고, 어떤 이는 잠시 조용히 서서 한 파트 연주의 청중이 되어준 후 떠나기도 한다. 아주 다행스럽게도 또 어떤 이는 여정의 백미를 발견한 듯 기뻐하며 가족 모두를 청중으로 앉힌다. 이런 이로 인해 공연자의 정력이 목에서도 나타나고 팔에서도 나타난다. 플롯의 취관에 드는 바람과 바이올린 현을 긁는 활에 더욱 농담이 더해진다.

어느 연구 보고서에 의하면, 무대 위의 공연자는 홀로된 환경에서 공연하는 것보다도 관객이 있는 환경에서 더욱 좋은 공연의 성과를 이룬다고 한다. 심증만으로도 알 듯 한 일인데, 연구까지 했던 모양이다. 이런 사실이 있는 만큼, 공연 중일지라도 한 사람 두 사람 청중으로 관람석에 앉는 이들이 더없이 반갑다. 이곳 모두의 흥과 감정이 부흥하여 나에게까지 오는 까닭이다. 딱 여기까지라면 좋겠다. 그런데 아니 되는 것이다. 역시 인간 세상은 고르지가 않다. 바라는 대로 되지 않은 일들이 너무나도 많다.

공연은 부풀어 있다. 흐트러진 음정이 없는 멋진 소프라노의 성악이다. 타고난 목소리를 다듬기 위해 얼마나 애를 썼기에 저토록 음정이 정갈할까! 모남이 없고 순결하다. 세공된 보석을 쉬 깨칠 수 없는 것처럼 차마 깨칠 수 없는 순수의 법칙을 두르고 있다. 절로 외경심이 일어나는 지경이다. 이런 경지에 대한 예의는 본능에 의해서건 교육에 의해서건 우리 내면의 양식으로 저절로 풀려나올 나올 일이다. 이런 태도가 나타나지 않는다면 축생과 어찌 다를까.

차이콥스키의 유명한 바이올린 협주곡 D장조가 흐르는 「더 콘서트」라는 음악영화가 있다. 장면 중에 지휘자가 당의 유대교 배척 지시에 불복했다고 열연 중에 지휘봉을 빼앗아 '탁!' 꺾어버리는 공산 권력의 횡포 장면이 있다. 인간다움을 개념으로 삼는 사람이라면 이런 장면에서 틀림없이 어둠의 상처를 입게 된다. 그래서는 안 되는 행동임을 인지하고 있는 상태이기 때문이다. 사랑, 평화, 행복, 인류의 존속을 위한다면 인간성 위에 그 무엇을 올려서는 안 된다. 욕망도 낮추고, 권력도 낮추고, 꿈도 낮추고, 자기도 낮추어 조화와 질서를 지켜야 한다. 예의도 그 일환이다. 그런데…….

역시 낙원의 꿈결이 영영 지탱될 천명이란 없나 보다. 어둠이 나타난다. 열창의 면전에서 갑자기 불쑥 일어나는 중년 남녀가 있다. 그리고 감미로움에 도취된 사람들 사이를 성큼성큼 뚫고 나가 장내를 어수선하게 만들고 만다. 그들의 모습은 틀림없이 공연 분위기를 '쫙!' 찢고 만다.

무엇이 저들을 열창의 면전에서 일어서게 했는지는 모른다. 어떤 연유로 자리를 뜰 때는 뜨더라도 분위기가 자연스럽게 풀어지고 공연자에 걸림이 되지 않을 막간이 있지 않은가! 갑작스럽게 생겨버린 아주 급한 사정이어서 이해해야 할 수도 있다. 그러나 그런 사정이 있기엔 저들의 행동이 너무 천연덕스럽다. 급한 기미도 없고 미안한 기색도 없다. 그저 자신들 하고 싶은 대로 하고 싶을 뿐이라는 듯 주섬주섬 일어나서 엉덩이도 털고 배낭도 고쳐 매며 어슬렁거리듯 장내를 빠져나간다. 아무리 이해하려 해도 무례한 모습이다. 내 마음도 그렇듯이 청중은 청중대로 흐려지는 분위기에 눈살 찌푸려지고, 공연자는 공연자대로 자기 가창이 매력 없나 싶어 맥이 풀리리라.

그 마음 알 수는 없으나, 다행스럽게도 성악가의 음정이 흔들리지

**색의 길**

는 않았다. 프로답게 정신을 다잡고 있으리라. 그러나 나는 다르다. 내 마음속에서는 결국 소프라노의 멋진 성악이 흔들리고 말았다. 이 사실이 오직 내 마음만의 진동일까? 아닐 것이다. 여러 사람의 시선이 자리를 이탈하는 두 사람에 쏠리고, 그 자체만으로도 그들의 이탈이 주옥같이 부드러운 물결의 공연에 크고 작은 칼칼한 파문을 일으켰음이 분명하다. 중년 남녀의 무례는 누구도 원치 않는 일이며, 인간과 사회적 관계에 불편과 근심을 던지는 일이다.

공연의 분위기를 배려하는 작은 예의 하나 지키는 것, 막간을 이용해 자리를 뜨는 자세를 갖추는 일에 교육이 필요한 것일까? 이 공연뿐만 아니라 우리의 모든 생활 속에 소소한 작은 예의들이 있고, 우리는 그 작은 예의들로 인해 친교의 선의를 갖는다. 인간성의 본질이 되는 그 참다운 성향 말이다.

스스로 배워보자. 조금만 생각을 더 하면 절로 마음에서 일어날 예의의 덕성이다. 사물을 존중하는 지성, 상황을 살펴 행동하는 지혜, 사후의 흔적에 남겨질 평론을 생각하는 이성. 이런 자세들에 대한 생각과 한없이 화해하자. 그래서 이 청량한 가을 속이 아름다운 공연이 모든 청중에게 영원한 낙원처럼 추억될 수 있도록 하는 미덕을 펼쳐보자. 감정이 솜 구멍처럼 열려있고, 흥이 고인 상태의 시간. 모두에게 얼마나 귀하고 좋을 일인가! ♣

무슨 축복을 받았는지 우리 인간에게는 오솔길처럼 가슴을 자연스럽게 울리는 천연의 행복감을 주는 것들이 무수히 많다. 개나리꽃과 유치원 아이들, 인사하는 아이와 인사를 받는 어른, 대학로 거리와 서점, 한식과 초가집 사랑방, 스님과 회색 복장, 달빛과 고요, 호수와 조각배, 뭉게구름과 잠자리, 해안의 갑(岬)과 등대, 가을과 철새, 이들의 조화는 천연과 우연을 가리지 않고 나타난다. 그리고 두 가지가 한 가지로 일체화되는 연리목처럼 '사랑'이라는 따뜻한 정서를 품어낸다. 이런 조화를 보면 우리 누구도 평화로운 안식에 잠기지 않을 수 없다. 조화로움 속에서는 천년이 지나도 다툼이 없고, 만년이 지나도 행복이 샘솟는다.

―「조화로움을 생각하며」 중에서

# 시골 사람, 도시에 가다

이속적인 삶을 살고 있는 나에게 있어 대도시로의 여정이 흔한 일이 아니다. 그래도 한때 대도시의 청년이었고, 몇 년에 한 번씩 일지라도 도시 입성이 없었던 것은 아닌 탓에 도시의 유기적인 형상이 뇌리에 맺혀있기는 하다. 하지만, 그것은 단지 감성 없이 머물러 있는 기억밖에 되지 않는다. 그런 기억인 만큼 도시를 되새겨 보려 해도 그믐달 속의 흐릿한 형상 같거나, 어떤 소리를 떠올리려 해도 가물거리는 선잠 속의 소리 같거나, 냄새 또한 겨울의 냉랭한 냄새 같

**색의 길**

을 뿐이다. 결국 기억의 캔버스 앞에 앉아 도시의 농담을 그리려 해도 선 하나 긋기조차 어렵다. 도시는 나에게 있어 이미 아틀란티스의 유적처럼 전설과 고적이 되어버렸다. 이 탓에 도시에 나서는 일이 신기루 속의 오아시스를 향해 가는 것 같다.

그런 내게 어느 날 어떤 일이 나와 대도시와의 만남을 덜컥 주선하고 말았다. 시골의 고적한 내 집을 떠나 참으로 오랜만에 거대한 도시에서 도시의 감각과 마주해야 한다는 것. 그것은 나에게 있어 그토록 숨어있던 아틀란티스 유적이 발견되어 세계가 들썩거리는 일과도 같았다. 실제로는 대단한 일이 아님을 빤히 알고 있었지만. 알고도 속는 마술처럼 내 가슴은 요동쳤다. 그러나 그 요동은 불행히도 축제장에 가는 즐거운 격동이 아니라, 낯선 불모지에 내던져지는 두렵고도 망연한 요동이었다.

시골과 체계가 다른 시내버스를 탄다든지 지하철을 탄다든지 하는 단조롭고 사소한 일마저도 사뭇 격렬한 일이었고 긴장되는 일이었다. 심지어 시골 사람으로서의 냄새나 옷차림까지도 신경이 쓰이는 일이었다. 내게 있어 도시에서 치러야 할 일은 깊은 숲에서 홀로 밤을 맞이하는 일이나 마찬가지였다.

젊은 시절 내가 살았던 도시에서 나는 무서울 정도의 어떤 특별한 체제를 경험했던 것이 아니다. 그때 도시는 보다 많은 사람들이 살아가는 큰 집합체의 주거지에 지나지 않았고, 오늘날에도 역시 마찬가지다. 몸은 점점 비대해지고 화려해졌지만, 생애는 이제나저제나 인간의 삶을 포용하고 있을 뿐이다. 이런 생각이 있는 한, 도시로부터 오는 문제는 없어지는 셈이다. 그런데도 나는 무수한 사람들이 득실대고 현대화된 도시를 떠올리는 순간부터 긴장했다.

어떤 마음이 몰려오건 결국 도시로의 여정은 시작되었다. 맨 먼저 시외버스에 탑승하는 일이었다. 출발시간 직전에 표를 사게 되어 급히 달음박질하여 차에 오르게 되었다. 순간 이른 아침이라 텅 비어 갈 줄 알았던 예상을 깨고 수많은 낯선 눈동자가 엄청난 풍파로 내게 몰아쳤다. 아마도 대부분 내 당황스러움을 눈치챘으리라 여겨진다. 허둥거리듯 남은 한자리에 급히 앉았으니까.

싸늘한 이른 아침의 시외버스에 가득 찬 사람들은 알고 보니 대부분 읍내에서 고속도로를 달려 대도시로 출퇴근을 하는 사람들이었다. 그것은 시골에서 미처 생각할 수 없는 일이기도 하고, 내가 경험치 못한 신기한 풍경이기도 했다.

그러나 풍경도 풍경이려니와 내게 생긴 문제는 순간적으로 일제히 쏠려온 사람들의 시선이었다. 낯선 사람들의 시선쯤이야 무시할 수 있지 않을까? 그러나 수많은 시선이 내 이목구비를 들쑤시고, 내 옷자락으로 기품의 질을 따지거나, 내 행동으로 성품을 난도질하는데도 태연할 수 있을까?

사람은 궁금증을 잔뜩 지닌 자질을 운명적으로 가지고 있다고 생각한다. 낯선 사람을 보게 되면 자연스럽게 보는 듯하지만, 실제로는

색의 길

메스를 든 의사처럼 세밀한 의식을 지니고 상대가 지닌 내력 깊숙한 곳까지 파고들게 된다. 나는 그것을 몹시도 따갑게 여긴다. 한 사람이 보아도 그럴진대 일제히 쏟아지는 수많은 시선에 쏘이는 것은, 땅벌의 맹렬한 공격을 느끼는 일과 다를 바 없다. 이미 경험한 바 있지만 정말 혼비백산 하는 일이다.

그 때문에 떠오른 생각이지만, 도시는 수많은 사람이 무작위로 교차하는 무수한 거리와 공간을 지니고 있다. 어느 곳에 가도 사람의 자태를 보아야 하고 시선에 사로잡혀야 한다. 도시를 생각할 때 그것을 떠올리지 않으면 안 된다. 실제로 시골 사람이 도시에서의 행보가 어려운 것은, 길 찾기나 기계작동이나 시설 이용 등이 어려워서가 아니라, 수많은 사람의 시선 속에 놓이는 일이 어려워서 인지도 모른다.

사람과 사람의 만남은 단순한 일 같지만, 사실상 은하계 어딘가의 별들 속에 사는 매우 불특정한 모습을 지닌 외계인과 외계인의 만남과도 같이 복잡 미묘한 일이다. 그 만남에서 제일 먼저 나타나는 것은 무엇일까? 아마도 경계심이 아닐까? 또는 급작스러운 공포심이 아닐까?

우리가 자주 보는 모습을 떠올려 보자. 세상의 모습에 미숙한 아이들에게 접근하면 대부분 뒷걸음질 치거나 울면서 엄마 품에 뛰어들고 만다. 아이는 경계심을 갖거나 공포에 질린 것이다. 그처럼 낯선 사람에 대한 반감은 우리들 본능 속에 분명히 있고, 자연스러운 시선 속에도 은밀히 숨어있다. 그리고 도시는 무작위로 그런 본능과 시선을 소통시키고 있다.

다행인 것은 우리에게 사람과의 만남에 대한 경험으로 익숙해진 관대함이 있고, 그 관대함은 극단적인 반감을 너그러이 순화된 호기심이나 궁금증으로 대신하게 한다. 그런가 하면 우리가 사회적으로 학습한 이성, 교양, 도덕 따위로 그것을 잘 감추고 있기도 하다. 그러기에 무작위의 시선이 수없이 교차하며 스치더라도 경계심으로 인한 충돌도 생기지 않고, 공포심으로 인한 절망도 생기지 않는다. 도시 역시 이런저런 삶의 풍경으로써만 화답한다. 이쯤 되면 언제 어느 때 들러도 도시는 편안하게 안길 수 있는 곳이기도 하다.

그러나 나는 계속 긴장했다. 시골과 도시, 그곳 사람들 사이에는 어쩔 수 없는 이질감이 있는 까닭이다. 현대를 넘어 미래의 도시와 같은 송도신도시를 배경으로 허름한 촌로가 서 있는 정물화를 생각해 보라. 조화를 이루는 '여인과 군복'의 밀리터리룩과는 다르게 영생뚱맞은 정물이 아닐 수 없을 터이다. 이 이질감은 도시 사람들 사이도 마찬가지일 것이다. 이것은 외관의 형색 문제이기도 하지만, 서로가 지닌 성향의 내적인 문제로써 달리 설명될 수 있는 것도 아니다.

집과 집 사이의 벽 하나만으로 세계는 달라진다. 이쪽 벽 속의 사람은 화사한 사랑을 포옹하고 있으며, 저쪽 벽 속의 사람은 깊은 우

**색의 길**

울의 골짜기에 빠져있다. 물론 이것이 그대로 고착되어 버리는 것은 아니다. 또 언제 두 세계의 운명이 바뀔지 모른다. 변형은 삶의 전유물이다. 서로가 다른 세계는 그런 변형을 공평하게 일으키며 영구히 유지된다. 그래서 우리는 포용적으로 '사람 사는 게 다 그렇지.'라는 말을 한다. 하지만, 그 말은 누군가의 초대를 받아 그 집에서 며칠, 또는 몇 달을 기거해 보면 인정할 수 있는 말이거나 친밀한 자들끼리만 할 수 있는 말이다. 서로의 내밀한 삶을 모르는 도시의 거리에서는 함부로 쓸 수 없는 말이다.

지푸라기를 잡듯 다만 잡을 수 있는 것은 외관과 행적이다. 그만으로도 웃어야 할지 울어야 할지를 다소 분별할 수 있다. 사람과의 만남에 익숙하여 관상쟁이와 같은 혜안을 지닌 사람이라면 더욱 선명하게 소통의 빌미를 찾아내거나 잽싸게 피해버리는 묘수를 찾아낼 수도 있을 것이다. 그러나 우리들 대부분은 피상적인 것으로써 저 사람과 내가 편안한 소통을 이뤄낼 수 있는지에 대한 이해를 갖지 못한다. 낯선 누구를 바라보건 도무지 풀 수 없는 비밀처럼 은밀해 보일 뿐이다.

풀어내야만 한다. 시골에서건 도시에서건 사람들의 평화 의식은 모든 역사의 뿌리를 적셔 정다운 이웃을 만들어 놓았다. 도시는 더욱 큰 이웃들의 지반이며, 거기서 서로를 찾는 꿈들이 벽과 벽을 흘러 또 다른 역사의 자궁으로 들어간다. 그것은 아름다운 잉태의 행복이요, 우리가 사는 궁극의 희망이다. 그 사랑과 희망의 힘을 믿고 안개처럼 부드럽게 거리에 녹아들어야 한다. 이것이 도시의 감각에 맞춘 멋진 행보이리라. ♣

**색의 길**

## 조화로움을 생각하며

저 앞의 두 사람이 무엇을 하는가 했다. 단숨에 여성들인 것은 알겠다. 그러나 웬일인지 비틀거리는 듯 뜀박질인 듯 보폭을 달리하는 모습들이다. 그 와중에도 모빌 같은 영롱한 웃음을 터트리고 있다. 가까이서 본 그녀들은 예쁜 단풍잎들을 피하고 있다. 바닥에는 붉고 노란 순정의 단풍잎들이 즐비하다. 밟기에는 무례할 수 있을 정도로 정말 곱고 아름답다.

이 오솔길은 애당초 군데군데 예쁜 단풍잎들이 떨어져 있는 길이다. 나는 단풍잎을 비롯하여 낙엽 전체를 밟으면 밟히는 대로 밟고 걸었으나, 예쁜 단풍잎을 밟지 않으려는 그녀들을 지나치는 상황에 있어서는 괜스레 길가의 돌 부분만을 슬쩍 밟고 지나쳤다. 그녀들의 감성을 이해하기도 했거니와 그녀들의 장난스러운 상황의 분위기도 깨기 싫었고, 또 무례한 사람으로 비치기도 싫었기 때문이다.

사실 누구의 심정인 듯 순정의 아름다움을 막대하랴. 대부분 사람은 매혹적인 색조를 띈 아름다운 단풍잎을 밟지 않으려고 애쓰게 마련이고, 나 역시도 예뻐서 피해 가던 젊은 날의 낭만을 잊지 않았다. 그러나 나는 달라졌다. 요즘은 밟히면 밟히는 대로 자연스러운 발걸음을 취한다. 나이가 들면서 냉정해진 탓이 아니라, 스치고 스친 생각들이 언제부터인지 다른 결론을 주었기 때문이다. 봄의 생성과 가을의 소멸. 잎이 떨어져 밟히고 부서지고 썩어 끝끝내 사라지는 것은 당연하다는 이치를 말이다. 이리저리 낙엽을 피하는 일 없이 자연스러운 이치를 따라갈 때 자연이 주는 영화(榮華)가 온몸의 기관을 따라 흘러들어오게 마련이라는 생각을 갖게 된 것이다.

또 이런 사실도 있다. 신체가 알아서 명확히 느낄 수 있을 정도로 오솔길에는 이상스레 맑은 공기가 감돈다. 신체에는 정말 알맞은 적당한 공기다. 걸을 때 치솟는 세포의 열기에 잘 동조되는 까닭이다. 이런 감각은 신체에 더없는 감미로움을 갖게 한다. 그리고 어디에선가 전혀 꾸밈이 없는, 애달플 정도로 뭉클한 행복감이 다가오게 마련이다.

무슨 축복을 받았는지 우리 인간에게는 오솔길처럼 가슴을 자연스럽게 울리는 천연의 행복감을 주는 것들이 무수히 많다. 달빛과 고요, 호수와 조각배, 뭉게구름과 잠자리, 해안의 갑(岬)과 등대, 가을과 철새, 개나리꽃과 유치원 아이들, 인사하는 아이와 인사를 받는 어른, 대학로 거리와 서점, 한식과 초가집 사랑방, 스님과 회색 복장, 이들의 조화는 천연과 우연을 가리지 않고 나타난다. 그리고 두 가지가 한 가지로 일체화되는 연리목처럼 '사랑'이라는 따뜻한 정서를 품어낸다. 이런 조화를 보면 우리 누구도 평화로운 안식에 잠기지 않을 수 없다. 조화로움 속에서는 천년이 지나도 다툼이 없고, 만년이 지나도 행복이 샘솟는다.

조화가 맞지 않는 것은 불편한 상태, 또는 불편한 감정을 유발할 수밖에 없다. 그래서 조화롭지 못한 것이 싫어질 수밖에 없고, 조화가 깨지는 것이 슬플 수밖에 없다. 「정치와 국민」의 조화로운 관계가 「정치와 권력」의 관계로 바뀐 것도 슬프고, 「학교와 인성교육」의 관계가 「학교와 시험교육」으로, 부자는 나눔보다 탈세를 먼저 생각하고, 의사는 인술보다 금전을 먼저 생각하며, 종교가 부흥으로, 명품이 허영의 관계로 바뀐 것도 슬픈 일이 된다. 조화되어서는 안 될 것들이 조화되어 세상을 덮는 날, 사랑도 사라지고 생명도 꺼진다. 부조화(不調和)의 톱니바퀴는 결국 기계를 멈추게 하고 말기 때문이다.

연인도 마찬가지다. 어느 날 연정의 소풍을 떠나 계곡 가에 앉아 먹고, 이야기하고, 웃던 연인들도 대화의 어느 부분에서 조화롭지 못한 무언가가 나타나 다투다가 불현듯 남남이 되어 귀로에 오를 수도 있다. 연인들이 제대로 된 사랑으로 가기 위해서는 식성의 조화, 지적 능력의 조화, 적성과 취향의 조화, 경제력의 조화 등 수 없이 풀어야만 할 숙제 거리가 있다.

수많은 연인이 '마음이 끌리는' 감정에 따라 사랑의 옷자락을 거머쥐게 되지만, 그런 감정은 대체로 자기감정이 아니다. 미의 현혹, 힘의 강인함, 빛의 현란함, 술의 몽롱함, 명찰의 화려함 등 외부로부터 배달되어 온 최면의 선물이다. 자기를 망각한 감정은 자기와 아무런 상관이 없다. 그런 사랑은 언제든지 돌아설 수 있고, 언제든지 버릴 수 있는 타인과 타인의 사랑이다.

감정은 이성의 조각물에 지나지 않는다. 전체성이 아닌 그 조각물은 하나하나가 꿰어지고, 붙여지고 하여 하나의 형체를 이룰 때까지는 조화가 아니다. 단지 조화를 위한 소재에 불과하다.

'사랑의 이별은 왜 있는 걸까?'라는 생각을 해 본 적이 있는가? '사랑의 이별은 어디서 오는 것일까?'라는 생각을 해 본 적이 있는가? 그것은 조화가 아닌 '조화의 소재'를 조화의 전체성인 양 성급히 받아들였기 때문에 생겨나는 일들이다. 이별은 비조화(非調化)의 산물이다.

물론 무궁한 인간사의 일이고 보면, 무어라 말할 수 없는 예외적인 이별도 있다. 무어라 말할 수 없는 그런 이별은 대체로 진심 어린 위로를 던져줄 이별이며, 같이 눈물을 흘려줄 수 있는 이별이 대부분이다. 하지만, 그런 울타리에 들어갈 수 있는 이별은 극히 적다.

조화가 배제된 오케스트라나 합창단은 멋진 하모니를 이룰 수 없다. 듣고 있노라면 심장에 큰 상처가 된다. 불행히도 우리는 그런 상처를 많이 받고 있다. 상처받는 인간, 사회, 세상의 고통, 슬픔⋯⋯. 조화의 부재가 낳은 그런 어둠이 우리들의 전유물이 되어 버렸다.

우리들 거의 모두는 삶과 인생을 조화롭게 꾸며내지 못한다. 아예 우리들 속에는 '조화'라는 개념 자체가 희박하다. 그 개념이 본능의 양심처럼 시시각각 발동을 해준다면 우리는 이미 지상낙원을 꾸미는 환한 미소의 무리가 되어있으리라. 그 꿈이 오늘 오솔길에서 나를 사로잡는다. 조화를 생각하는 것만으로 마음이 따뜻해짐은 의미가 있는 일이다.

그러고 보니 조금 전 그녀들과 예쁜 단풍잎도 조화가 아닌가! 그 생각이 미치자 속절없이 맑은 웃음이 얼굴에 그려지고, 그녀들의 행동으로 사유했던 다소 깊었던 생각을 슬그머니 감춘다. ♣

# 정의 흥정

어릴 적부터 그랬으니 내 성향인 것 같다. 어쩐 일인지 나는 나 자신과 타협하는 과정에서 큰 이익을 생각하지 않는다. 그래서 큰 이익이 생기는 것이 거의 없다. 그 대신 큰 손해를 보는 것 또한 없다. 만약 내 삶에 있어서 큰 이익이 생겼다거나 큰 손해가 생겼다면, 그것은 다른 문제에 의해서다. 적어도 나는 나 자신과의 타협에서 대부분 안전하고, 평화로운 분위기를 얻는다. 어떤 물건을 놓고 흥정한다고 하더라도 매양 이런 분위기이다.

숙기가 없는 나에게 있어 흥정은 애당초 껄끄러운 일이다. 내 이익을 위해 비싸니, 깎니, 사니, 안사니 한다는 것 자체가 영 부끄러운 것이다. 내 경제력에 대비하여 비싼 것일 듯싶으면 아예 손을 대지 않는 것을 상책으로 여긴다. 어쩔 수 없이 사야 할 물건이라면, 그런 필요성에 의해 선뜻 제값을 치르고 산다. 그러니 나에게 있어 흥정은 풍물 같은 구경거리에 불과할 뿐이다.

그런데 묘하게도 흥정을 구경하는 것은 사뭇 재미가 있다. 그리고 그것은 나에게 뜻밖의 행운을 가져다주기도 한다.

살아가면서 문득문득 취하고 싶은 것이 있게 마련이다. 먹고 싶은 것도 마찬가지이다. 임산부가 흔히 그렇듯이 갑자기 어떤 특정한 음식물에 대한 식욕이 왕성해져 버리는 때가 있다. 그 이유가 무엇 때문인지를 생각할 필요가 있을까? 적어도 내게는 생각 밖이다.

어느 날 문득 갈치구이가 먹고 싶어졌고, 그에 대한 구매욕이 강렬하게 일어났다. 그러나 불행히도 내 경제 사정은 언제나 쭉정이 상태여서 평소에도 비싼 어류에 해당하는 갈치에 접근하지를 못했다. 그런 형편이면서도 혹시나 싼 가격의 갈치가 있을까 싶어 어쨌든 시장엘 들렀다. 하지만, 어류 전의 무수한 갈치 가판대를 눈앞에 두고서도 쉽게 접근하지 못했다. 막상 고상한 은빛 광채를 띠운 갈치를 보자 '비싼 가격'의 의식이 다시금 뇌리를 강타했고, 주인만 성가시게 할 뿐 어차피 사지 못할 것 같아서였다. 결국 전혀 관심 없는 양 그냥 스쳐 지나기만 했다.

갈치는 대부분 묶음으로 놓여있다. 두 마리, 세 마리, 네 마리 식이다. 한 진열대에 그렇게 놓여있으니 금방 짐작이 갔다. 똑같은 가격에 크기에 따라 수량을 달리해놓은 것이었다. 그러나 이 집 저 집

판매대를 엿보다 보니 그만 헷갈려버렸다. 어떤 집은 큰 것 같은데도 세 마리를 놓아두었고, 어떤 집은 작은 것 같은데도 두 마리를 진열해 놓았다. 애당초 가격조차도 묻지를 않으니, 흥정은 아예 출발할 생각조차도 없었다. 그저 눈치만을 무기로 삼으며 그렇게 시장통을 오고 갔다. 그러던 순간에 저쪽에서 어느 뚱뚱한 부인이 갈치를 파는 한 가판대에 멈춰서는 듯했다. 그리고 팔을 뻗어 갈치 더미를 가리키며 '거, 얼마요?'라고 묻는 소리가 들렸다. 내 귀가 토끼 귀인 줄 이때야 알았다. 너무나도 재빠르게 쫑긋 섰다.

"세 마리 만원입니다."

"별로 크지도 않은데, 무슨?"

"어이 참, 이 정도면 크지……. 다른 데 가 봐요, 이만한 녀석인데도 다 두 마리에 만원씩 안 하는가……."

"뭘, 작구만……."

"내 참! 이만한 걸 세 마리에 만원에 살 수 있는지 시장 통 다 돌아보소, 있는가."

"그냥 네 마리에 만원에 줘요. 안 팔려면 말고……."

배짱은 대부분 장사꾼의 소유물이 아니었던가? 그러나 나의 통념은 보기 좋게 뒤집어져 버렸다. 구매자인 뚱뚱한 부인의 배짱이 장사꾼의 배짱에 앞서 툭 튀어나오더니, 순식간 장사꾼의 기세를 콱

눌러버리는 것이었다. 물론 거기에는 장사꾼의 상술을 무시하는 듯한 어투를 비롯하여, 자리를 뜨려는 듯이 슬쩍 발걸음을 움직이는 오묘한 행동의 조화까지 섞여 있었다. 흥정도 일종의 기술인 듯했다. 그 때문에 장사꾼은 마치 귀신에 홀린 듯 패배를 부르짖었다.

"아 참, 아줌마 지독하시네……. 자, 네 마리에 가져가소!"
"하이 참, 뭘 지독해……, 그렇게 팔면 되지……."

뚱뚱한 부인은 끝까지 지지 않고 당당하게 자기 흥정의 성과를 거두었다. 최소한 내게 아주머니의 흥정 술은 너무나도 존경스러운 것이었다. 그리고 나에게까지 자연스럽게 축복을 주었다. 부인이 발걸음을 떼자마자 가까이 서 있던 나도 망설임 없이 곧바로 갈치를 사게 되었는데, 내가 흥정할 일은 전혀 없었다. 단지 이 말만 하면 됐다.

"나도 그렇게 주시오!"

흥정이 나쁜 것이라는 점은 어디에도 찾아볼 수 없다. 세상사와 인간사의 여러 상황으로 볼 때 흥정은 일종의 자연법칙과도 같다. 지상과 하늘 간에도 흥정이 있고, 바다와 육지 사이에도 흥정이 있다. 비와 식물, 나무와 나무, 국가, 인간은 물론이려니와 전쟁 사이에도 흥정이 있다. 그 관계를 일일이 말할 필요가 있을까?

세상은 단절된 틀이 아니다. 모든 것은 혼합되어 있고 유기적이다. 그들로부터 나를 떼어놓을 수 없고, 나로부터 그들을 떼어놓을 수 없다. 공생관계를 생각하라! 그것이 곧 나의 인생이요, 나의 삶이다. 그를 인정한다면, 상호 간에 대한 배려는 필수적이다. 흥정에서도 마찬가지이다. 아니, 흥정 자체가 배려의 수단이요, 방법이다.

따라서 흥정에 관한 내 성향을 조금 고쳐야 할 필요성이 있다는 것을 느낀 지 오래다. 그리고 노년의 나이가 주는 뻔뻔함까지 더해서 이따금 용기를 내어 시도해 보기도 한다. 하지만, 어수룩한 내 흥정이 모진 장사꾼의 배짱을 이겨낼 리가 없다. 빈번히 지고 만다. 아니, 약간의 성과가 없는 것은 아니다. 하지만, 그것은 내가 흥정을 잘해서라기보다도 장사꾼이 그냥 귀찮아서라든지, 귀엽게 봐서라든지, 정이 많아서라든지 하는 경우에 얻는 어부지리 식의 성과이다. 그래도 일단은 슬슬 재미를 붙인 것만큼은 사실이다.


나는 내 어머니의 애처로운 영상을 머릿속에 무척 많이 넣어 다니기 때문에, 시장을 볼 때면 가급적 시골 할머니의 물건을 팔아주는 것을 고집하는 편이다. 그들은 집에서 기른 채소를 조금씩 가져와 시장 바닥에 앉아 팔고 있는데, 아무래도 내 어머니의 초라하고, 애잔한 삶의 모습에 버금갈 수밖에 없다. 그래서 시골 할머니들이 죽 늘어서 앉아있는 곳이 보이기만 하면 다가가 가급적 내 어머니의 형

**색의 길**

상과 비슷한 분을 택하여 그 앞에 쭈그리고 앉는다. 할머니는 반가운 마음에 활짝 웃는다. 물론 할머니 앞에 앉는 한, 흥정할 마음은 없다. 그런데도 앉는 순간부터 자연스럽게 흥정이 되기 시작한다. 그런데 이때는 참 묘한 흥정이 된다.

"할머니, 이거는 얼맙니까?"
"응? 얼마치나 사시려고?"
"아, 조금이면 되는데……."
"요만큼?"
"어, 너무 많습니다!"
"그냥 천 원에 다 가져가!"
"아이고, 그냥 조금만 주세요."
"괜찮아, 천 원에 다 가져가고……. 요거도 좀 사가시지? 맛있을 건데……."
"그럼 그것도 천 원어치만 주세요."

분명 흥정의 주객이 바뀌었다. 또한 오히려 말려야 하는 흥정이 되어버렸다. 그러나 할머니와 나는 끝까지 웃고 있었다. 물론 가끔은 욕심쟁이 할머니도 만나게 되고, 흥정이 깨지기도 한다. 그러나 좋은 것만을 취할 수 없는 것이 세상일이니, 그에 한탄할 필요는 없다.
그런데 한번은 이런 경우가 있었다. 가진 돈이 별로 없었으면서 많이 가지고 싶은 욕심 탓에 조금 모진 흥정을 하게 되었다. 그때 할머니가 말했다.

"아이고, 이 할마시도 좀 먹고 살자! 와, 전부 다 싸게만 사려고 해?"

아, 얼마나 부끄러운 순간이었던가!

흥정은 결코 자기 욕심을 충족하기 위한 이익의 문제가 아니다. 심장이 따뜻한 피로 인체를 덥히듯, 서로를 배려하는 적절한 타협으로 인간 사이의 온기를 만드는 정의 문제이다. 흥정을 하는 한, 이 마음을 지녀야 한다. 이 마음을 놓쳤던 그날 이후, 나는 한동안 흥정에 대한 목석이 되어버렸다. ♣

# 호롱불과 함께 하는 밤

이따금 고개를 들어 창밖을 내다보면, 먼 곳 어딘가에 달빛이 있는 양, 검은 숲 위로 하얗듯 푸르고, 푸르듯 검은 하늘이 빛나고 있다. 저런 하늘이면 무수한 별들이 반짝거리기도 하련마는─아니, 정말 그렇겠지만─창문이 작기도 하려니와, 그나마 검은 감나무 잎에 절반이 가려져 별 하나 보이질 않는 게 내심 섭섭하다.

하긴 정말로 별이 보고 싶으면 일어나서 창문을 열고, 검은 실루엣의 도둑같이 창가에 몸을 기댄 채 하늘의 동정을 살피면 된다. 그러나 그렇게 되면 자연의 서정에 내심 미쳐있는 감성에 이끌려 슬며시 마당으로 나서게 될 것이고, 심지어는 고갯마루를 거쳐 높은 산봉우리까지 올라가고 싶어 할 테니, 지금은 그냥 이대로 있기로 한다.

나는 별을 보지 못하여도 푸르스름한 하늘의 고요만으로도 정신을 환기한다. 그리고 단지 찰나의 고갯짓만으로 검은 숲에 어린 하늘에서 순식간 방 안으로 들어온다. 이런 경과들은 유리창을 거울로 만들어 버리는, 전등불 켜진 방안에서는 감히 상상조차도 할 수 없는 것들이다. 그러나 지금 나는 호롱불을 켜고 있다. 어린 시절을 지나와 한동안 잊었던 호롱불이 언제부터인지 다시금 내 곁에 놓이고, 이따금 그 심장을 태우며 내 꿈을 모정처럼 지켜주고 있다.

잃어버린 것들에 대한 추억을 되새기고자 함도 아니요, 어떤 정취를 살리고자 함도 아니며, 내가 시대에 덜떨어진 궁상맞은 자여서도 아니다. 단지 좋아서라고 말하기도 어렵다. 물론 그런 이유도 내가 갖고픈 보석이리라! 그러나 이따금 마음이 동하여 연인의 귓불 솜털마저도 죄다 볼 수 있는 밝고 밝은 전등 불빛을 마다하고 호롱불을 켜는 이유는, 내 마음에 햇빛 눈부시고 들꽃 화려한 나의 천지를 만들기 위해서이다. 물론 다른 정경도 있어 낙엽이 눈물처럼 떨어질 수도 있고, 이별의 고뇌가 천둥처럼 작열하기도 하며, 사막의 열풍과 북극의 눈보라가 크나큰 근심처럼 휘몰아치는 모습이 있을 수도 있다. 그리하여 그들의 사랑과 정열에 춤을 추기도 하고, 추억이나 염원에 눈물짓기도 하며, 수수께끼 같은 삶의 이유를 풀어보기 위해서다. 그런 나의 시간, 나의 생각을 위하여 호롱불은 매우 지순한 바탕이 되어준다.

색의 길

한곳에 앉아 세상을 구경하거나, 이해하거나, 또는 이야기하고 기도하기에 호롱불처럼 오붓한 불빛도 없다. 모든 것을 환희 드러내는 형광 등불은 나를 방안에 앉혀놓고 나의 오감을 이것저것에 모조리 분산시켜 놓는 바람에, 내게 도대체 무슨 일이 일어나고 있는지 어리둥절하게 만든다. 그러나 호롱불만은 나를 세상 밖에 내어다 놓고, 다른 모든 사물을 불러 모아 하나하나의 티 없는 얼굴을 영원처럼 오래도록 대하게 해준다. 그들을 보며 내 의지대로 웃음 짓고 눈물 짓는 보람이야말로 내가 뿌려 만든 내 인생의 행복임이 틀림없다. 이렇게 되면 이따금 호롱불을 켜는 이유에 의문이 있을 턱이 없다.

멍에를 지듯 진중하게, 아니면 그릇을 비우듯 텅 비어내는 무심으로, 또 아니면 거리의 집시처럼 세상을 보고 싶고 또 이야기하고 싶은 내 곁에 호롱불이 없다는 것이 오히려 이상할 정도이다.


호기심으로 아무렇게나 호롱불을 켤 생각이라면, 아무것도 모르는 유년기 시절이나 호기심 많은 소년기 시절을 청하지 않으면 안 된다. 아니고서야 어찌 아무렇게나 호롱불을 켤 수 있겠는가! 물론 때로는 그런 어리석음도 나를 즐겁게 할 수 있겠지만, 모름지기 한낮 무도장에 호롱불을 켜 놓을 자 없을 것이며, 기계 소리 요란한 지하 공장에 호롱불을 켜 놓을 자도 없을 것이다.

호롱불은 고요한 밤 어머니의 다듬이질 소리 곁에서 빛나야 하고,

할머니 자장가 소리에 잠들 듯 말 듯한 아기의 요람 옆에서 빛나야 하며, 밤새도록 글 읽는 선비의 책상 곁에서 빛나야 한다. 현대로 치자면 장식품으로 그 쓰임새가 달라졌으니, 전통찻집의 나무 선반 위에나, 민속 가옥의 구석진 곳에나, 아니면 어느 시골집의 다락방과 골동품상의 진열대에서나 볼 수는 있겠지만 한결같이 불 꺼진 그 모습들을 말할 것은 아니다.

호롱불은 내가 만들어 구석진 곳에 세워놓은 선반 위 놓여 있는데, 거기에서 만월과 같은 부드러운 미소로 오롯이 빛나고 있다.

그럼 나는 무엇일까? 천계를 장난감으로 둔 거대한 거인이라도 되어, 조그만 달 주위의 휘광을 신화처럼 감싸고 있는 존재일까? 하지만 그렇지 못하다. 달빛 아래 구름이 떠 있고, 그 구름 아래로 보일 듯 말 듯 날아가는 한 마리 기러기처럼 길 잃고 외로운 작은 존재이다.

내가 가는 목적지가 어디며, 내가 쉬어야 할 곳은 또 어딜까? 어느 가곡에 띄워져 사람과 사람의 마음속에 쓸쓸한 가을을 울리고만 있는 것일까? 때로는 이런 의문도 적절한 법. 밤바람이 창문을 울리지 않으면, 그래서 호롱 불빛이 흔들리지 않으면, 나는 예의 그를 인정하고 그냥 그렇게 끝없이 날아가련다. 그러나 윙윙대는 냉정한 삭풍이 창문을 흔들며 지나가자 문득 방안이 흔들려 내 현실을 의식하게 만든다. 다시금 별이 있나 창밖을 눈여겨본다. ♣

**색의 길**

# 세 갈래 길

오지의 산기슭을 흐르는 길이라 거의 적막강산이다. 이런 지경이 한 시간 남짓 진행되는 일이 내게는 레드카펫의 환희와 같은 일로 여겨진다. 인적 없는 고적이야말로 나의 진정한 요람! 나는 그렇게 아늑한 세계를 꿈결처럼 달리고 달린다. 그러다가 세 갈래 길에서 멈춘다. 방향을 잃은 것도 아니고, 방향을 찾는 것도 아니다. 길은 동쪽과 서쪽, 그리고 남쪽으로 이어져 있는데, 서쪽으로부터 무작정 달려온 나는, 어느 쪽이건 달리 선택된 방향이 없다. 할 일을 다 마친 양 되돌아갈 수도 있고, 해맑은 동쪽으로 곧장 달려갈 수도 있으며, 내키면 은빛 호수가 눈부신 남쪽으로 내달릴 수도 있다. 그 어느 쪽으로 가든 길은 마을과 마을을 만나고, 또 다른 길과 길을 만나며, 영원한 역사처럼 이어져 있을 것이다. 어느 아득한 대륙의 해안 절벽을 만나기 전까지는 말이다.

휘이, 휘이! 방랑의 자유로움이여!

그러니까 내가 차를 세운 이유는 다른 것에 있는 셈이다. 실제로 그렇다. 세 갈래 길에 멈춘 것은 길이 비포장인 탓에 요동이 심하여 관절과 근육의 환기가 필요했고, 이런 지경은 나의 노후한 지프차도 마찬가지다. 이 지경에 쉬기 좋은 오붓한 공터 같은 세 갈래 길이 나타난 것이다. 지체 없이 차를 세운 이유다.

노쇠한 관절처럼 삐걱거리는 지프차 문을 힘겹게 밀어붙이고 나가자, 그런 억셈과는 달리 정말이지 생명에 딱 알맞은 부드러운 기운이 한껏 뒤덮어 온다. 신선한 공기의 감각, 골짜기에 고인 갈잎의 냄새, 아무도 없는 고요함, 오직 그런 향기가 가득 차 있는 것이다.

마치 무슨 행운이라도 찾아온 것처럼 부지불식간에 기쁨의 탄성이 터진다. 그러면서 관절과 근육의 긴장감도 냉큼 사라지고, 이런저런 궁리를 갖던 의식마저도 사라짐을 느낀다.

양팔의 날개를 펼치며 길 가운데로 나서자, 그러한 감명은 더욱 선명해진다. 모든 것이 활짝 열리고, 새처럼 훨훨 날갯짓해 봄도 전혀 어색함이 없다. 태초에 인간에게 내려진 순수의 천성으로 돌아가 자연의 전체, 또는 일부가 되는 듯하다. 감동이고, 이런 감동은 이상적인 삶을 구축하는 필연적인 기반이다. 이 순간 그 무엇도 내게 위배되는 것이 없다. 마냥 순연한 시간이다.

색의 길

맑게 된 마음으로 사방을 둘러본다. 남쪽 길은 아스라이 깊은 골짜기를 내려가고 있다. 골짜기는 물 고인 호수의 작은 만이 되어있다. 앙상한 가지들 사이로 윤슬이 선명하다. 길은 하염없이 내려가는 듯 여겨지지만, 작은 산기슭에 의해 멀지 않은 곳에서 더 이상 볼 수가 없다. 그 끝이 어딜까 궁금하여 내려가 볼까 싶기도 하지만, 진행 방향인 동쪽 길도 궁금하기는 매 마찬가지여 시선을 돌려 동쪽 길을 바라본다.

동쪽 길 역시 첩첩산중에 가려져 멀리 보이지는 않는다. 다만 계속해서 오름 길인 것이 남쪽 길과 다르다. 나는 왠지 저 동쪽 길이 산 구비 너머에서조차도 계속 위로 위로만 오르고 있으리라는 생각을 떠올린다. 계속 가게 되면, 어쩌면 얼마 후 나는 천국의 문을 두드리고 있을지 모를 일이다.

호기심이 주는 상상은 여러모로 유익하다. 당장에 나는 지나온 모든 것에 대한 은원을 잃는다. 이 순간만이겠지만, 이것만으로도 삶은 무언가 새로운 또 다른 변화의 자극을 받게 된다. 살아오면서 이런 경우를 많이 겪었고, 이것은 결국 성장의 경과로 이어져 나를 완성해 가는 일이다.

어차피 갈 길이지만, 잠시 동쪽 길을 천천히 걸어본다. 동쪽 길옆에는 느긋한 산비탈이 있고, 산비탈은 내게 불현듯 낮고 포근했던 유년 시절의 뒷동산을 상기시킨 뒤, 묵묵히 웃음 짓는다. 그렇다면, 초라하지만 번거로움이 없었던 어린 날의 순수한 관능을 떠올릴 수가 있다. 마을을 떠나 산자락에 이럴 때면, 어김없이 밀려오던 신선한 축복들. 어떤 냄새인지조차도 모르면서 취했던 달콤한 향기들이며, 그 무엇인지 모를 따뜻한 음향들, 그리고 놀이와 먹이를 제공하던 친숙한 생물들…. 아아! 어릴 적 축제여, 인생의 마지막 영광이었던 때여!

나는 그렇게 뒷동산 같은 산비탈을 눈물겹게 느끼다가 어느새 내 발걸음으로 돌아온다. 발걸음은 다시금 타박타박 걷는 모양이 되고, 자각자각 들리는 소리가 된다. 그러나 몇 걸음뿐. 나는 길옆 작은 도랑 앞에 멈추어 선다. 도랑 건너 산비탈 위로 스며들 듯 어렴풋한 길을 발견한 것이다. 샛길은 바람의 통로처럼 풀잎 누운 희미한 길이지만, 모름지기 그 어느 때부터인가 인적이 하나둘 배어든 길임은 분명하다.

그러나 건널 마음은 잠시 주저한다. 도랑을 건너자마자 마주쳐야 하는 앙상한 가시나무와 한여름을 억세게 풍미하던 수북한 환삼덩굴 때문이다. 그들은 그대로 메말라 굳센 철조망의 위용을 과시하고 있다. 주눅이 든 채 주저됨은 마땅하다. 하지만, 나의 은밀한 태생이 어디서 왔는지, 샛길이거나 오솔길이라면 나는 사족을 못 쓸 정도로 관심이 많다. 저들이 아무리 거추장스러워 보여도 건너는 것에 마음이 기운다. 언제 주저했느냐는 듯 대담하게도 훌쩍 도랑을 뛰어넘고야 만다. 결국은 내 호기심과 발걸음이 옳다. 두어 번의 손짓과 기교 있는 보행으로 모든 것은 금방 극복되었다.

색의 길

결국 곧바로 오르막인 샛길을 오르게 된다. 부드러운 풀잎, 자작자작 부서지는 누런 억새 줄기, 뚝뚝 소리 내어 부러지는 나뭇가지 조각들, 그리고 몇 걸음 걷지 않은 곳에 서 있는 억새를 넘어서니 갑자기 널따란 가슴을 펼쳐 놓는 언덕이 나타난다. 그 가슴 위에는 한 해를 스쳐온 자연의 형체들이 모든 소요를 접고 누워, 어떤 거부의 몸짓도 없이 차디찬 세월과 내 몸무게를 묵묵히 수용하고 있다.

주변의 적막……. 발걸음의 위세가 사라진다. 나는 멈추어 서서 모든 고요를 끌어모은다. 언덕의 기운에 의해 절대 그렇게 된 일이다. 그리고 어떤 고적한 침묵으로부터 긴장되고 참회 되며, 결국에는 마음 깊은 곳에서 삶의 진중한 신음을 터트린다. 그러나 더 이상의 진행은 없다. 번잡할 것만 같았던 상념의 통로에, 이내 윙윙거리는 공기의 소음만이 자리를 잡았기 때문이다. 오직 그뿐이다. ♣

4부 겨울 색에 물들다

## 부끄러운 손

내 앞에 손이 있다. 작고, 검고, 주름지고, 초췌한 내 손이다. 형색으로 치자면 좀처럼 가치를 얻기 어려운 잡부의 형색이다. 그러나 이 손이야말로 내 삶의 중심이다. 신체의 백분의 일도 안 되는 작은 형체지만, 이 손이 없이는 태산만 한 신체가 폐가처럼 방치될 수도 있고, 칡넝쿨에 덮인 소나무처럼 도태될 수도 있다. 그러니 제아무리 잡부의 형색일지라도 당당하고도 영광스럽게 귀빈처럼 접대 받아야 할 소중한 가치가 있다.

몇 사람의 모임이 있었다. 음식점 탁자를 중심으로 내 주위에 앉게 된 그들은 모두가 도시의 여성들이었다. 손의 모양새는 각기 다르지만, 그 형색만은 희고, 곱고, 세련되고, 우아하기까지 했다. 음식이 차려지자 그 손들이 분주히 움직이기 시작했다. 그것은 마치 봉황이 춤추는 듯했고, 백로가 날갯짓하는 모습이었다. 까마귀가 날아들어 요리를 해작질할 정경이 도저히 아니었다. 다양하게 펼쳐진 음식을 향해 여기저기 손을 뻗쳐나갈 수가 없었다. 기껏 눈앞의 두어 가지 음식에만 손이 오갔다. 그것도 자꾸만 움츠러드는 까닭에 빈번히 찌꺼기 같은 모양새로 입속에 흘러들었다. 그렇게 나는 내 손을 부끄러워하고 있었다.

젊은 날 방랑기 때 만난 어느 민속 마을에 잠시 거처를 두고 생활한 적이 있다. 풍류의 정자(亭子)가 아닌, 수양과 강학을 겸하는 정사(精舍)에서의 생활이었는데, 주변에 있던 버려진 닭장을 뜯은 폐목과 흔한 참나무를 가지고 내 손으로 직접 침대와 탁자, 의자 등의 가구를 만들었다. 그 가구들은 방문하는 사람마다 감탄을 금치 못하는 예술미를 자랑했다.

그 마을에는 유학자요, 도인의 형색을 갖추신 노옹이 한 분 계셨다. 하루는 어떤 일로 그분을 방문케 되었는데, 면접하는 순간 대뜸 "수재(手才)가 아니신가!" 하고 말씀하셨다. 참으로 혜안을 가지신

분이었고, 나를 되돌아보게 하신 분이었다. 그때 만약 내 운명을 바꿨더라면, 오늘날 나는 공예 분야의 지고한 장인의 역사를 이루고 있을지 모를 일이다.

실제로 내 손의 유희는 마치 마술 같아서 다방면으로 현란한 솜씨를 나타내고 있다. 물론 '현란함'이란 전혀 배우지 않은 상태의 수준에 빗대어 표현한 것이다. 그렇다. 어떤 전문지식도 없이 그저 마음이 동하는 요소를 매우 쉽게 관철하는 재간을 내 손은 갖고 있다. 의자를 만들어야겠다 싶으면 의자가 뚝딱 나오고, 선풍기를 고쳐야 되겠다 싶으면 선풍기가 뚝딱 고쳐지고, 그림을 그려야 되겠다 싶으면 그림이 뚝딱 그려지고, 거북이를 조각해야겠다 싶으면 거북이가 뚝딱 나타나는 것이다. 내 손의 숙명은 그처럼 현란하다. 다만 전문적이지 않을 뿐이다.

이 세상에 수많은 손이 있고, 그 손 중에 나와 같은 손이 많이 있지만, 그러나 실제로는 한 동네 한 사람 있을까 말까 할 정도로 그다지 흔한 편은 아니다. 따라서 내 손은 일종의 선택 받은 손이요, 귀한 손이요, 영광스러운 손이어서 어디를 내어놓아도 당당할 수가 있다. 이러한 내 손 앞에서는 오히려 도시 여성들의 손이 부끄러움에 못 이겨 음식 한 점도 집어먹지 못하는 신세가 되어야 함이 마땅하다. 그럼에도 나는 내 손을 유독 부끄러워했다.


생전이든 사후든 부모님과 원한이 없다. 서로 사랑했다는 이야기

색의 길

일 수도 있지만, 내 집안의 형편은 사랑보다는 서로에 대한 애틋함의 분위기가 더 강하게 흘렀다. 우리는 부모로써 자식으로써 서로를 충족시켜 주지 못했다. 내내 빈곤한 삶으로 인하여 서로에게 남모를 고통만 되었다.

의식주 충족은 어머니로부터 이루어졌다. 그것은 곧 어머니의 손이 하루 쉴 사이 없이 고된 노동을 잡고 있어야 하는 신세가 된 셈이었고, 그만큼 어머니의 손은 재빠르게 늙어갔다. 그 손을 차마 쳐다볼 수 없었다. 어머니의 손은 언제나 괴로움과 죄책감으로 다가왔다. 그런 상황에서 참나무껍질처럼 거칠어진 어머니 손을 잡는다는 것은 상상 밖의 일이었다. 결국 어머니의 손을 단 한 번이라도 잡아주지 못했다. 어머니는 그렇게 떠나버렸다. 애당초 노동자의 형색이 아니었던 아버지는 언제나 철학적 삶의 심연에 빠져있었다. 그런 아버지의 손은 고대의 어떤 유물 같았다. 다정하게 잡을 분위기가 결코 아니었다. 역시 그대로 기러기처럼 날아가 버렸다.

서로 애틋해하면서도 끝끝내 잡을 수 없었던 손. 이런 손의 경우는 슬픈 신화 속의 매체인 메아리같이 허공을 휘젓는 손일뿐이다. 재간 많은 내 손은 이렇게 슬픈 이면을 갖고 있기도 하다.


손을 부끄러워하는 사람이 더러 있을 줄 안다. 그들이 손을 부끄러워하는 까닭은 대체로 때 자국이 절절 흐른다거나, 노동의 시련으로 거칠어지고 변색하여 천한 모습이 되었거나, 어떤 사고로 흉하게 되었거나, 또는 늘 빈손이어야 할 때, 아니면 사악하게 사용한 손이기 때문일 것이다. 그러나 내가 도시 여성들의 흰 손앞에서 자꾸만 움츠러든 이유는 그런 데 있는 것이 아니었다. 내 손의 가치를 잡지 못한 채 사회의 미아가 되게 만든 부끄러움 때문이었다.

재간이 있어도 장인의 역사를 움켜쥐지 못했고, 사랑이 있어도 그 따뜻함을 움켜쥐지 못한 채 검게 피폐해져 버린 내 손은 사실상 실패한 손이다. 손을 볼 때마다 인정하지 않을 수 없다. 내 신체, 더 나아가 내 인생의 중심적 가치가 있음에도 늘 허공만을 휘젓게 하여 결국엔 제초제를 덮어쓴 풀잎처럼 허망하게 시들어버리고 있다. 현란한 손재간으로 고치거나 만들어야 할 것은 정작 내 손이다. 보면 볼수록 그렇다. ♣

# 자유와 고독의 그늘에서

　먼 여정에서 돌아와 큰 감나무 한 그루 서 있는 집에 거의 도달할 즈음이면, 몇 해 전부터 삶의 근거지로 삼은 이 낯선 땅도 어느새 눈에 익어 고향 같은 안락감을 준다. 봄나물을 뜯으러 올라가 한없는 나른함에 풀숲에서 꾸벅꾸벅 졸았던 저편의 산기슭도 정겹고, 미꾸라지가 있나 싶어 그물을 휘저었지만 단 한 마리도 볼 수 없었던 개울도 정겹고, 길가의 이편저편에 서 있는 이웃 마을들도 틀림없이 정겹다. 이때만큼은 죄다 정겹다.

　술이나 폭력, 극도의 빈곤 속에 방치된 가정이 아닌 한, 집으로 돌아온다는 것은 늘 정겹고 안정된 일이다. 인간의 주거, 동물들의 둥지는 천국의 약속을 믿지 않아도 보장되는 가장 확실하고 안락한 삶의 쉼터이다. 그곳에 다가가는 한 멀리서도 이미 아늑한 체온이 감돈다. 망설임 없이 아주 쉽게 집에 다다른다.

늘 공격심을 돋구는 녹슨 푸른 대문은 그 움직임이 멈춘 며칠간의 시간에도 전혀 달라진 것이 없다. 여전히 "탕!" 하는 발길질을 받고서야 안으로 열린다. 비로소 내 집에 들어섰으나, 그러나 이때부터 모든 것은 달라진다.

눈앞에 펼쳐진 것은 빈 마당. 가을 추수를 마친 듯 풀들도 없고, 낙엽도 없다. 여정을 떠나기 며칠 전, 세상과의 마지막 작별을 치르듯 모든 것을 정리한 탓이다. 죄다 쓸어 모은 누른 풀들과 감나무 잎을 태우는 데만 해도 꼬박 반나절이 걸렸다. 연기가 너무 많이 나는 탓에 행여나 소방차가 달려올까 봐 애를 태우기도 했다. 그보다 먼저 불씨가 날릴까 봐 한 동이 물을 곁에 둔 나는 이미 소방수가 되어 있기도 했다. 연기 속의 구수한 향기와 낙엽의 달콤한 향기가 몸에 배어 여행길까지 따라왔었다. 그리고 모든 것이 비었다.

집안은 그렇게 깊은 정적의 겨울 숲처럼 나를 맞이한다. 내가 치러야 할 몇 가지 살림살이 행위 외에는 어떤 명분도 나를 기다리는 기색이 없다. 떠도는 구름을 따라 떠났던 생기 있는 여정의 노래도 순식간 흘러가 버리고, 조금 전 정겹게 인사를 나누던 귀로의 노래도 흔적 없이 사라져 버린다.

나는 종종 내가 치렀던 과거의 일들이 내 삶을 밀어주기를 바라나, 그때마다 빈번히 아무 힘을 받은 적이 없다는 것을 알고 있다. 금방 지나온 행적조차도 어느새 내 뒤에 남아있지 않다.

가끔 "개를 한 마리 키우지.", "닭 몇 마리 키우면 될 텐데."라는 말을 듣곤 한다. 그러나 나는 떠도는 숙명을 지녔고, 늘 집을 벗어난다. 그동안 그들의 먹이는 어쩌란 말인가. 그러니 누군가가 강아지 한 마리를 분양해 주겠다는데도 끝끝내 이웃집 개소리만을 아련히 듣고 있다.

집안은 역시 그림 속에 담긴 풍경인 양 움직임 하나 없다. 꼬리치는 강아지가 슬쩍 그립기도 하지만, 나는 자유를 사랑한다. 나는 이별과 만남을 주저한다. 그러니 될 수 있는 대로 모든 것이 비어 있기를 바란다. 가거나 오거나 바람 같기를 바랄 뿐이다.

거기에 천성이 내려앉는다. 나는 고독을 사랑한다. 달빛의 정적, 거센 폭우 속에서 나타나는 깊은 망각과도 같은 고독을 사랑한다. 내가 걷어차지 않은 대문 소리에는 늘 기겁을 한다. 그 뒤에 남는 것은 늘 불안한 인간사. 김치를 건네 오는 이웃집 할머니 은혜의 손길에도 그렇고, 납세 통지서를 건네 오는 집배원의 눈빛에도 그렇고, 종교의 복음을 전하려고 기를 쓰는 전도사의 발길에도 그렇다.

왜 불안한지를 한 가지만 말하고 가자. 김치를 건네 오는 이웃집 할머니의 은혜를 받는 순간으로부터 나는 무엇으로 갚아야 할지, 얼마만큼 갚아야 할지, 머리가 아프도록 은혜를 갚을 일에 매달리게 된다. 그동안 나는 죄인이 된다. 은혜를 갚을 때까지 멀리서 그녀를 보기만 하여도 불안하다. 그러니 그 누구건 내 집 대문을 여는 사람이 절대 없기를 바란다. 늘 고요한 마당만이 내 삶을 진정시킨다.

고적이 깊을수록 사랑한다. 자유는 거기에 있고, 그를 사랑한다. 여행에서 가져온 것이 무엇이건 내 삶은 고적에서 시작되고 고적에서 끝이 난다. 잉태로부터 얻었던 생기는 잊었다. 어머니를 마지막으로 영영 홀로된 직후, 나는 길을 떠나 마음껏 돌아다니고 있었다. 모든 것을 잃은 양 허무했고, 간간이 심한 울음을 터트렸지만, 나는 잉태와 무관한 사람처럼 자유롭게 발길을 옮기고 있었다.

기억과 추억으로 남아버린 아버지, 그리고 어머니에 대한 회한은 일상처럼 다가와 눈시울을 붉힌다. 나는 그들의 아들이었고, 아들로서 해야 했을 그들의 꿈의 손짓에 조금도 다가가지 못했던 슬픔 때문이다. 그들은 나의 자유와 고독을 이해할 필요가 없었다. 잉태를 저버린 자유와 고독은 애당초 인간의 소산물이 아니다. 그들은 하나밖에 없는 아들이 왜 자유와 고독을 꿈꾸고, 기아와 빈곤에 허덕이는 방랑자가 되어야 했는지 끝끝내 알지 못했을 것이다. 너무나도 궁금했을 테지만, 그 대답은 그들과의 사후의 교감 속에서조차도 말할 수 없는 무상의 것이다. 나도 모르게 그저 그렇게 된 것! 이 간단한 대답은 실제로 크나큰 혼돈이요, 또한 망각이다. 나는 나를 알 수 없고, 무엇도 말할 수가 없다.


고적한 마당을 채운 것은, 나 편리한 대로 '고요해서 너무 좋다!'라는 단조로운 것만 있는 것은 아니다. 늘 이사 중인 마당처럼 정리해야만 물건들과 일들로 가득 차 있다. 우선 섬 사이의 고요한 바다

**색의 길**

를 지나치며 슬쩍 잡아 온 「성대」라는 고기 몇 마리를 상하기 전에 당장 손질해 놓아야 한다. 이 「성대」라는 물고기는 너무나도 황홀한 옆 지느러미를 지녔다. 또한 지느러미 크기가 매우 커서 보자마자 날개라는 느낌이 들었는데, 그 아름다움이 너무 황홀하여 한참을 바라보았을 정도이다. 이제는 모든 것을 접고 뻣뻣이 굳어 있다. 아름다움도 사라졌다. 이것을 상하기 전에 손질해 놓아야 하는 것이다. 이때 나는 먹고사는 것을 생각하고, 다소 허풍을 섞은 낚시의 무용담을 재잘거릴 수 있는 어떤 대상들도 생각한다. '고요해서 너무 좋다!'라는 생각은 어느새 사라진다.

그러나 집안은 텅비었다. 먹고사는 것도 형편없고, 무용담을 들어줄 대상도 없다. 싸늘한 달의 대지와도 같다. 나를 바라보던 거울이 깨져버린 듯, 순식간 조각되어 사라져 버리는 나를 느낀다. 그렇게 고독을 느낀다. 그리고 사랑한다.

그것은 위험한 이성이다. 나의 인생은 보기 좋게 실패로 끝나고 있다. 활달한 먹이사슬로부터의 도태, 살아있는 것들과의 결별. 내 자유가 몰고 온 고독은 죽음처럼 싸늘하다. 이를 모르는 사람들은 나를 부럽게 여긴다. 스트레스 증후군에 찌든 도시의 사람들은 나보고 아주 편해 보인다고 한다. 대체로 그렇지만, 걱정하는 사람이 없는 것도 아니다. 그런 사람은 인생을 제대로 보는 사람이다. 그는 인간의 오만에 현혹당하지 않은 사람이며, 인생의 숙명에 진실한 사람이다.

실제로 자유와 고독을 찬미하는 사람에게 오만함이 있다는 것을 본 것은 대단한 일이다. 오만함이 따르지 않는 자유와 고독의 향락은 없다. 자기 세계에 집착하고 그것을 옹호한다는 것. 그런 사람은 오만과 편견의 상호관계를 틀림없이 입증하고야 마는 불량한 성직자나 정치인에 불과하다.

　오만이여 안녕! 자유와 고독이여, 안녕! 나는 이런 멋진 이별의 선언을 적어도 수십 번은 했다. 아버지의 깊게 감긴 눈과 남겨진 어머니의 축촉이 젖은 눈을 볼 때도 그러하였고, 인생과 가족의 사랑이 군불처럼 훈훈한 「인간극장」이라는 TV프로를 볼 때도 그러하였고, 옛 연정이 그리워 그와 같은 사랑을 꿈꿀 때도 그러하였다.

　오만이여 안녕! 자유와 고독이여, 안녕! 그것은 음습한 습지의 기포처럼 부글거리는 한숨 뒤에 나타난 정말 유쾌한 이별의 선언이었다. 그러나 빈번히 그런 선언을 한 것은 내 자유와 고독에 무슨 좋지 않은 일이 있음을 말하는 것이고, 후회가 덤불의 가시처럼 나를 찌르고 있음을 말하는 것이다.

　불행한 사람. 나는 나의 불행을 비껴갈 수 있었지만, 이미 때를 놓쳤다. 고독에의 습성이 이미 오래전부터 나를 양육하고 있었고, 나는 쓸쓸한 죽음에 이르는 자유와 고독에 길들어 오고 있었다. 어쩔 수 없는 일이다. 그냥 홀연히 떠도는 유랑을 인정하고, 굳게 닫힌 대문과 고적한 마당을 여전히 사랑하는 일만이 나의 삶이다. 그리고 날이 갈수록 은둔하는, 차마 말하기 힘든 막연한 인생이다. ♣

# 냉기의 시대

손발이 너무 시리다. 그러나 녹일 수가 없다. 아니, 더욱더 참혹하게 부르르 떨린다. 일시적인 이 운명 속에서 매몰찬 원망이 자라나 버스 기사나 버스 회사로 향해 쏟아진다. 영하 10도를 웃도는 혹한의 냉기를 저들은 한낱 거리의 행려자로만 여기는 것인지, 아니면 자신들의 금전적 욕망을 충족하기 위하여 자연과의 투쟁을 엄숙히 선언이라도 한 것인지. 심지어는 촌사람이거나 서민이라는 약자 위에 군림한 탓으로 그들 인간의 존엄성을 한낱 사치로만 여기고 있지 않을까 하는 생각까지도 들며 속이 부글부글 끓는다. 분노가 돌개바람처럼 휭휭 일어나면서 고함이라도 내지르고 싶다. 그러나 내 성격상 쉽지 않다. 궁상맞도록 내성적인 나의 천성으로 보자면, 우르르 떼 지어 몰려드는 시선이야말로 추위보다도 더욱 혹독한 독화살 세례가 되고도 남음이 있다. 내 감정보다 더욱 군림해 있는 이 성향을 어찌할 도리는 없다. 그저 참아야 한다.

어쩌면 나는 저들이나 버스 기사에게 아주 이상한 이방인일지도 모른다. 추위에 이토록 심드렁해진 나야말로 대중의 공공 편의시설에 익숙지 않은 일상생활의 부랑자로서, 대나무꽃 백 년마다 한 번씩 피듯 어쩌다 한 번 있게 되는 시골 버스 통근에 도무지 불편함을 감추지 못한 채 투덜대고 있으니 말이다.

이렇게 되자 당연한 듯 강추위를 견디지 못해 덜컥 서버린 고장 난 나의 지프차가 고약한 놈이 된다. 문득 한숨이 터지고 나의 지프차에 못지않게 덜덜거리면서도 용케도 잘 달려가는 버스가 마냥 부러워진다. 그리고 그 부러움은 놀랍게도 차 속의 풍경을 전혀 심심하지 않은 시장통으로 만들고 만다. 갑자기 삶의 체취를 흠씬 풍기는 분주한 모습들이 술렁술렁 들리기 시작하는 것이다.


시골 버스 속에서 점잖은 태도가 얼마나 우스꽝스럽고 침묵이 얼마나 맥없는 일인가를 알게 되는 것은 시간문제이다. 대부분 촌로는 언제라도 입을 열 준비가 되어 있다. 그런 준비가 없는 자는 대부분 세대를 달리한 청년기이거나 낯선 이방인이다. 하지만, 흥겨운 호기심까지 없다고는 장담할 수 없다. 결국, 우리는 모두 시골 버스의 쾌활한 잔치에 동참 되어 있는 셈이다.

**색의 길**

바닥에 놓인 작은 석류나무 묘목 한 그루로부터 수만 갈래의 이야기가 피어오르는 것도 이 시골 버스로부터이다. 석류나무는 한 사람으로부터 명찰이 달린다. 차의 복도를 지나올 때 발목을 살짝 스쳤던 밋밋한 줄기로만 있는 저 나무의 이름을 내가 어찌 알았으랴! 지식이란 예기치 않은 곳에서 더욱 쌓이는 법. 사실 내게 석류나무는 오직 영원의 석양 같은 주홍빛 꽃과 탐스러운 열매로서만이 존재하고 있었다. 그러던 것이 이 순간에서야 비로소 열매의 근본을 키워낸 줄기로 존재하기 시작한 것이다.

명찰이 달린 석류나무 묘목은 자신의 생을 이 작은 사회 속에 송두리째 드러내 놓을 수밖에 없는데, 그의 삶을 인정하는 여러 전문가가 나타나 온갖 지혜를 발휘하기 시작한다. 금전적 가치를 따지는 경제인이 있는가 하면, 욕을 얻어먹는 판매인에 옹호론자까지 나서기도 하고, 묘목 관리를 위한 조경업자는 물론이요, 건강과 약효에 관한 한의사가 나타남도 당연하다. 그리고 나같이 짐짓 무관심한 듯하면서도 열렬한 경청자도 있게 된다.

그러다가 문득 침묵이 뚝 떨어진다. 석류나무에 대해서 나올 이야기 다 나온 모양이다. 그러나 이 침묵이야말로 장작더미 아래의 불쏘시지나 다름없는 데, 이내 인정된다.

이번에는 한 개의 조그만 요구르트병이 문젯거리로 등장한다. 누군가가 마시고 난 빈 병이 복도로 굴러 나왔는데, 차가 요동칠 때마다 이리저리 구르며 다르륵다르륵 소리를 내었고, 결국엔 운전자의 신경을 몹시도 거슬러 고함을 터지게 만들고 만 것이다.

　어느 할머니의 고자질로 밝혀진 범인은 젊은 여성이다. 실수를 들켜버린 그녀는 비틀거리며 요구르트병을 줍기는 했어도 지탄은 금방 그치지 않았다. 결국 곱디고운 얼굴을 붉히며 내내 고개 한번 들지 못하더니 어느 한 곳에 내려 도망치듯 뛰어가고 말았다. 하지만, 그동안 이 조그만 시골 버스 사회의 지탄이 소용돌이치듯 빙빙 돌아가며 그녀에게 몰아쳤으니, 그 마음이 얼마나 참담했을지는 필경 선악을 분별하는 신도 안쓰러워했음이 분명하다.


　인간의 성장과 변화는 도시와 교육의 전용물이 아니다. 옛 세월을 마구 밀어내는 물질과 환경만이 인간의 진정한 교육자로 군림한다. 인간상은 그 시대의 물질과 환경에 버금 된다. 똑같은 노래일지라도 달구지 위에서 흥얼거리는 노래와 버스 속에서 흥얼거리는 노래는, 노련한 음악 비평가도 그 해석을 다 이루지 못하는 세월의 물결이 출렁거린다. 단순함도 옛 단순함이 아니다.

　대부분 촌로로 이루어진 이 시골 버스의 조그만 사회 역시 단순하고 소박하기는 하나, 이미 옛날의 그 정겨움을 벗어나 있다. 정감 깊은 관용이 죄다 사라진 자리에 영악하고 기민한 처세술만이 앉아 있을 뿐이다. 오히려 거기에 단순함이 더해져 무지막지한 판단 아래 누구 한 사람 그 연약한 아가씨를 위해 관용을 베푸는 자가 없다. 모두 우락부락한 운전기사의 위세에 주눅이 들고, 아부하듯이 응원

색의 길

을 보내며 악행을 악행의 잣대로 이리저리 재기를 서슴지 않은 것이다.

하긴, 이제는 두 번 다시 차내에 빈 요구르트병이 구르도록 하지는 않겠지만, 그러한 교훈치고는 단죄가 너무 가혹하지 않은가, 가련한 아가씨여!

그녀가 비워놓은 자리에서 인심의 마지막 종소리가 울려 퍼지는 듯하여 긴 한숨이 배어 나온다. 머지않아 밤이 오고 하루가 깊은 어둠 속에서 지나가고 있을 때, 그녀는 여전히 차 속에서의 일에 몸부림을 치며 이 경박한 사회를 오히려 증오하고 있으리라 여겨진다.

무심한 것은 시골 버스밖에 없다. 크고 작은 소요가 있든 말든 시골 버스는 먼 산기슭 백설의 지평을 향해 여전히 힘내어 웅웅거리며 달려가고 있다. 하지만, 버스 속은 다르다. 스스로도 유쾌하지 못한 언행을 남발했음을 자책하고 있는 걸까? 한바탕 무관용의 죄악을 치른 버스 속은 갑자기 싸늘한 침묵에 휩싸여 있다. 그 침묵에 다시금 분노 깊은 냉기가 파고든다. 버스에서 빨리 내렸으면 하는 조급한 마음이 몸을 더욱 덜덜 떨게 만든다. ♣

# 아이들에게 맡기는 대문

외골수 기질이 있는 내게 대문은 격리를 위한 안전한 차폐막이 되어준다. 나에게 있어 대문은 절대 열리지 말아야 할 판도라 상자와도 같아서 어떻게든 단단히 닫혀 있기를 바란다. 그런 까닭에 푸른색의 철 대문이 웬만한 힘으로는 열 수 없는 녹슨 지경에 있어도 그대로 방치해 두고 있다. 한 달에 한 번씩 출입하는 전기검침원은 대문이 잠겨있지 않아도 열지를 못하고 항상 크게 두드려 마치 긴급 사태가 일어난 듯 긴장감을 주곤 한다. 나 자신도 불편할 정도지만, 그래도 이 단단한 폐쇄감이야말로 내 숙명을 지켜내는 가장 큰 행복이다. 정말이지 내 정신머리로는 아무도 내 집 대문을 두드리지 말았으면 하는 바이다.

**색의 길**

내 집 대문은 나와 같은 사람을 만나 절대 열리고 싶지 않은 운명을 지니게 되었지만, 또 어떤 집 대문은 사시사철 활짝 열려있는 상태로서의 운명을 지녔기도 하다. 내가 아는 집 근처의 음식점이 그렇다. 고택을 약간 개조하여 음식점을 운영하게 된 후로부터 그 집 대문은 판자에서 뿌리가 내리지 않나 싶을 정도로 활짝 열린 채로 고정되어 버렸다. 열고 닫히는 숙명을 잃어버린 내 집 대문이나 그 집 대문은 대문의 역할에 있어서 완전한 패배자인 셈이나 다름없다. 참으로 딱한 일이다. 아예 내 주위의 집들처럼 담장을 두지 않은 탓에 대문 자체가 없는 것이 차라리 온전한 일이다.

매사 적절한 것이야말로 안전한 힘이요, 평화의 온상이다. 대문 역시 적절히 여닫혀야만 집 안팎의 화목을 소통시키는 역할자로서 인정되게 마련이다. 그야말로 부드럽고, 의심 없고, 이기적이지 않는 참다운 사랑의 차폐막이 되는 것이다. 이런 생각을 말하는 나는 좀처럼 열리지 않는 대문의 힘에 의존하려는 나를 지탄하고 있는 셈이다. 이것은 매우 마땅한 일이다. 나 같은 존재는 유동적이고 역동적이어야 할 삶에 시멘트를 발라 움쩍달싹도 못하게 하는 매우 위험한 사회적 존재이기 때문이다. 그런데 문제는 이것이 나만의 문제일 뿐만 아니라 오늘날 사회의 문제이기도 하다는 점이다.


언젠가 무슨 일로 도시의 주택가를 들린 적이 있었다. 도로 양가의 열댓 채 집들을 거쳤지만, 답답게도 단 한 군데도 대문이 열려있는 집을 볼 수가 없었다. 열려있기는커녕 담은 높고, 대문은 철옹성 같아서 바람마저도 드나들 틈이 없을 정도였다. 열린 대문을 통하여 길손이 얼굴을 빠끔히 들이밀며 길을 묻고, 그에 다정히 대답하는 모습은 상상 밖의 일이었다. 물론 이러한 도시의 상태가 하루 이틀 전의 일은 아니다. 이미 오래전부터 그러해 왔고, 앞으로도 더한 모습이 될 것이다. 이것에 대해 당신은 무슨 생각이 있을까? 그냥 근성으로 여기고 있지 않을까? 나 또한 그래왔다. 그러나 끝끝내 열린 대문을 찾지 못하자 집마다 굳게 닫힌 대문이 마치 천재지변으로 여겨질 정도였다. 동 전체를 드나들 수 있는 현관부터 고도의 잠금장치를 해놓은 아파트야 말해 무엇 하랴.

도시의 대문들이 한결 굳게 닫혀있는 것은 자기 권리를 굳건히 주장하고 있는 바나 마찬가지이다. 이것은 타인에 대한 지극한 부정이요, 거부인 셈이다. 부와 개개인의 인권 가치로 전락해 버린 인간 진화의 소산물이랄까? 현재로서는 대문이 누구에게나 정답게 열릴 어떤 방법도 없다. 사랑이 식어가건 말건, 화합되건 말건, 불신이 쌓이건 말건 말이다. 거의 모든 집들이 폐쇄성의 대문을 용인하는 현실에서 인간의 감성이나 정서를 우려하는 것 역시 막연하기만 하다. 이제는 그저 인간의 업 정도로 여기며, 대문의 디자인이나 잠금장치의 효율성만을 따져봐야 할 뿐이다.

닫힘과 열림의 상징은 선악의 시금석이다. 물론 다수의 변화에 의해 선악이 교차하기도 하지만, 대체로 닫힘은 어둠을 상징하고, 열

**색의 길**

림은 밝음을 상징한다. 옛 성현들의 공통적인 조언이 있다면, 그것은 '마음을 열어라.'라는 말이다. 짧게 살아온 인생만으로도 닫힘이 좋은지 열림이 좋은지를 분별할 수 있는데, 확실히 닫힘보다는 열림이 더 좋았다는 평결을 흔쾌히 내릴 수 있다. 그러니 극단적이기는 해도 굳게 닫힌 대문보다 차라리 활짝 열린 대문이 그나마 낫다. 아니, 나을 정도가 아니라 이것이야말로 인류 태초의 삶의 질이다.

인류가 언제부터 대문을 달았는지에 대한 고사를 아는 바 없다. 그러나 대문의 역사가 오래되었을 것이라고는 여겨지지 않는다. 아마도 농경 생활이 시작되고 움집 등의 주거생활이 시작된 신석기시대의 어느 부분에서부터 대문이 나타났으리라 생각된다. 길어야 수천 년인 셈이다. 수백만 년의 인류 역사는 대문이 없이 살았다는 이야기며, 이것은 곧 자연 상태를 상기시킨다. 대기의 빛과 향기와 소리가 온몸으로 전해오는 자연 상태! 이것이야말로 인류가 오래도록 지속해 온 활달한 생태이다. 나는 우리 내면 어딘가에 틀림없이 그 활달한 생태를 그리워하는 인자가 있으리라 믿는다. 즉, 대문이 없는 자연생활을 그리워하는 본능이 있다는 것을 믿는 것이다.

지극히 폐쇄된 나로서는 소리 없이 열 수 있었던, 그렇게 되도록 만들어진 자연의 형태와 같은 싸리로 만든 대문이나 대나무로 만든 대문으로부터 얻었던 해방감이 그리울 수밖에 없다. 그 시절에 분명했던 것은 서로 어려운 이웃끼리 콩 한 조각이라도 나눠 먹는 풍토가 있었고, 대문을 통해 들어오고 나가는 것은 그러한 풍토의 발걸음이었다. 그래서 대문을 통하여 오가는 발걸음 소리에 부푼 마음을 안고 귀가 쫑긋해지곤 했다. 그 화평의 옛 시절을 보낸 내가 오늘날 폐쇄형 대문에 안주하고 있다는 것은, 무인도에 고립된 조난자의 체념적 생활을 하는 바나 마찬가지다. 그리고 거기에 적응된 나머지 이제는 오히려 구조선의 돛대를 두려워하는 지경에 이르러 있다. 그러니 달라질 기미도 없다. 세상이 바뀌었다는 말 한마디로 정당화될 뿐이다. 실제로 세상은 바뀌었고, 그에 따라 대문의 개방을 통하여 발생하는 수많은 변형의 소요들이 기승을 부리고 있다. 그 때문에 오늘날 대문은 이 소요를 막기 위해 굳게 닫혀야만 하는 정의로 인정될 수밖에 없다. 결국 문제는 대문이 굳게 닫힌 것이 문제가 아니라, 굳게 닫히도록 만든 오늘날 세상이 문제인 셈이다.

닫힌 대문, 닫힘의 세상! 절대 열리기를 바라지 않는 대문은 죽은 자의 관 뚜껑이나 다를 바 없다. 실제로 나는 그렇게 누워있다. 이 무슨 비운인가! 그래도 천만다행으로 영혼은 살아서 누구라도 드나들 수 있는 살짝 걸린 대문들의 추억을 그리워하고 있다. 이런 내 영혼은 도대체 언제 내 정신머리를 다그쳐 녹슨 푸른 대문을 활짝 열어놓게 할까? 그러나 닫힘에 고정되어 버린 내 정신머리로 보자면 내 생전에는 어려운 일이리라. 이런 내가 애통하니, 달리 이런 꿈을 곁들일 수밖에 없다.

**색의 길**

아이들아, 세상은 너희 것. 너희도 알 것이다. 환한 세상이 좋다는 것을. 그러면 아이들아, 너희는 대문을 열어라, 열어라! ♣

# 외딴 폐가의 항아리

　고향인 듯 서 있는 고적한 산골의 외딴 폐가는 그리움이다. 지붕이 내려앉지 않는 한 멀리 있어도 정다움이요, 포근한 안식이다. 그런가 하면 나에겐 특별한 애정이기도 하다. 이렇게 폐가에 대한 감정이 좋기만 한데 바라보는 내 눈은 항상 애잔하고, 마음은 깊은 한숨에 떨린다. 인생무상이나 소멸의 슬픔 때문이 아니다. 외딴 오두막집 삶의 내 꿈 때문이요, 가난에 집 없는 내 설움 때문이다. 그런 때문에 더욱 절실하게 폐가가 좋다, 좋다. 먼 기슭에 있어도 폐가인 듯 여겨지기만 하면, 행여 내가 살 수 있는 집이지 않을까 싶어 수풀을 헤치고서라도 찾아든다. 저쪽 산언저리에 홀로 있는 폐가를 보게 된 지금도 마찬가지다.

**색의 길**

파란 장화를 신은 약초꾼으로서 거침없는 발길은 기어코 수풀 무성한 길을 극복하고 폐가에 이른다. 지금까지 수없이 보아온 외딴 옛집의 폐가들. 기왓장 찍듯 찍어내어 이 골 저 골 툭툭 던져 놓은 듯 모두 거의 같은 모습이다. 맨 오른쪽 방 하나, 가운데 방 하나, 맨 왼쪽 검게 그을린 부엌 하나이다. 아니면 방 하나는 없던지.

무너진 모습도 또 비슷하다. 이상하리만치 부엌이 가장 먼저 무너진다. 어떤 자연적 법칙이 적용되는 것일까? 이 집도 마찬가지다. 부엌 뒤쪽부터 시작하여 거의 절반이 크게 무너져 있다. 두 개의 방은 형태상 온전하지만, 경첩으로 보건대 띠살문이었을 문짝들은 온데간데없이 휑한 바람만 드나들고 있다. 인적을 가늠할 수 없을 정도로 흙벽만 남아있고, 이제 들보만 무너지면 그 자체로 자연의 피부로 영영 돌아갈 태세다. 이래도 내게 주어지는 것이라면 나는 새봄이 온 듯 창조하고, 고향의 집인 듯 정 익게 하고, 무척 성공한 삶인 듯 안식을 누리리라.

끝끝내 그럴 일이 없었던 익숙한 상황이라 꿈은 금방 흩어진다. 이제나저제나 내게 소유될 확률은 전혀 없다. 지금까지 보아왔던 수백 채의 외딴 폐가들이 그러했듯이 언제나 발견할 때는 반갑고, 떠날 때는 허전함과 설움만 남고 끝이다. 애써 찾은 가치는 생기지 않는다. 물론 가끔 녹슬었건, 썩었건, 깨졌건, 생활의 물품이 한두 점이라도 남아 있을 때면, 거기서 삶이 자라나 온기를 갖는다. 내게 필요한 것은 집이지 누군가의 옛 삶의 모습이 아니지만, 내 인정의 혼은 온기에 반응하여 반가움을 갖는다. 결국 지금도 그렇게 되고 만다. 무너지지 않은 사뭇 어두운 구석에서 먼지를 잔뜩 덮어쓴 작은 항아리를 발견하고서다.

어찌 남겨졌을까? 이 폐가에서 유일하게 보게 되는 기물이다. 그 탓에 본척만척 아니 되고 가만히, 가만히 바라본다. 예쁜 곡선이 깨지지 아니한, 두 손바닥에 올린 달처럼 작고 동그란 항아리다. 먼지와 상관없이 이 자태만으로도 잠시 보고 가기엔 너무 곱고 귀여운 흰머리오목눈이 같은 모습이다. 어두운 구석 속에 있어서는 안 될, 먼지에 숨 막혀 있어서는 안 될 사랑의 품새를 지니고 있다. 나는 이러한 것들이 버려지고, 상처받고, 눈물 흘릴 때 너무 괴롭다. 흰머리오목눈이 같은 아이가 학대받았다는 소식을 듣게 되면 절대적 비애감을 갖는다. 얼마나 가련한가. 실제로 항아리 입구인 앙증맞은 검은 눈에서 깊은 슬픔을 본다.


외딴 폐가의 내력을 거슬러 오르게 되면, 이 작은 항아리 역시 어느 여인의 손에 의해 선반에 오르내렸을 것이다. 그리고 붕어입술 같은 앙증맞은 입구로 소금이 들락날락하던지, 간장이나 된장이 들락날락하던지 했을 것이다. 그 무엇이었건 항아리는 여인의 가슴이었을 것이다. 채워질 때는 안도감이 있었을 테고, 비어갈 때는 근심도 있었을 것이다. 여인은 어느 쪽을 많이 겪었을까? 외진 산골, 네댓 가구의 초라한 마을, 흙집, 검게 그을린 부엌 천장, 이런 풍경 속에서 강남 카페 여인네들의 여유가 있었겠는가, 페미니스트들의 함성이 있었겠는가. 인간의 가치와 권리에서 버림받고 온갖 고초를 겪으며 홀로 양식을 끌어모아야 했던 나의 어머니처럼 그저 죽지 못해 사는 여인의 한스러운 가슴. 그 가슴에 기쁨이 들 날 많으랴, 슬픔이 들 날 많으랴.

버려진 슬픔에 가만히 쳐다본 결과는 결국 옛 여인들의 깊은 애처로움이 읽히고 만다. 늘 비어있어야만 하는 여인의 가슴, 그리고 나의 어머니. 그 한이 얼마나 깊었을까? 결코 내가 지울 수 없는 그녀들의 상심이 텅 빈 항아리 속을 채우고 있다는 감정을 떨칠 수가 없다. 항아리는 훈기 나는 부엌에 앉힌 채움의 희망을 품은 기물이다. 어두운 구석에 하염없이 버려져 비어있는 것은 그 자체로 괴로운 상심이요, 애환이다. 시종일관 어머니의 애환과 상심을 만들어 온 나로서는 결코 두고 올 수 없는 항아리다. 비닐봉지에 곱게 넣어 산골을 내려오는 내내, 어머니의 텅 빈 가슴을 위해 무엇을 채울까 궁리하다가 속절없이 동공에 맺는 눈물이 참 하얗다, 하얗다. ♣

## 떠나가는 사람들

내 생애에 어떤 연도 없이 어느 날 문득 만났지만, 앞집에 사는 그는 나와 무관하지가 않다. 어쩌면 내 삶의 현존하는 축이었는지도 모른다. 실제로 그는 내 삶을 움직일만한 영향력을 지니고 있는 사람이었다. 그는 어느 날 문득 '집을 비워 주시오.'라고 할 수 있는 집주인인 까닭이다. 그런가 하면 내게 정을 주었던 사람이었다. 저렴한 집세도 그 정으로부터 나왔다. 사회와 결별하고 삶을 침잠시킨 내 외딴 생활로 인해 왕래는 거의 없었지만, 내가 앉은 집은 그의 품이었고, 나는 언제나 그의 온기를 느끼고 있었다. 그런 그가 길고 풍부했던 인생의 알곡을 갑자기 던져 버렸다. 마지막 남은 차디찬

색의 길

껍질은 어둠 깊은 지하로 스며들 것이다. 그렇게 그는 지반도 없는 아득한 공간으로 떠나버렸다.

문상길이 흔들흔들했고 차디찼다. 나를 지탱한 하나의 축이 빠져버린 탓인 데다가, 내가 안겼던 따뜻한 그의 품이 싸늘해졌기 때문이다. 미망인의 눈물은 곧 나의 눈물이었다. 눈물의 깊이야 다를 수밖에 없겠지만, 옅든 깊든 부서지고 가라앉는 마음으로 우리는 우는 것이다. 안개 낀 창 너머로 미망인이 탄 조각배와 내가 탄 조각배가 무한한 여백 속에 외롭게 떠 있었다. 결국엔 어디론가 흘러갈 테지만, 우리가 흘러 닿는 항구는 한결 낯선 곳일 것이다.

어쩌면 나는 벌써 그 낯선 항구로 떠나고 있는지도 모르겠다. 문상을 오가는 길에서 나를 조난케 하는 끝이 없는 파도 소리가 들렸다. 아직은 기우일지 모른다는 위안의 닻을 내리고는 있지만, 이 닻이 무사히 지탱할 수 있으리라는 희망은 안개 속 바람처럼 흔적도 볼 수 없다. 집주인의 죽음은 새 주인의 등장이 될 수 있고, 그는 등장하자마자 곧바로 닻을 끊어낼 수 있기 때문이다. 나는 이대로 있기를 바라나 결국 떠나야 하는 인생의 섭리는 가장 정확하고 가장 완벽한 철리이다. 다만 시기와 방식만 다를 뿐.


동시에 또 다른 떠남이 있다. 내가 사는 집 뒤에서 연일 쿵쾅거리는 소리와 기물을 던지는 소리가 났다. 이사를 온 몇 년 뒤 부지불식간에 생겨난 뒷집에서 나는 소리이다. 해마다 계절마다 다른 채소가 심어졌던 밭에 어느 날 갑자기 컨테이너 하나가 놓이고, 그것을 중심으로 장년의 부부 한 쌍이 손수 이 판자 저 판자 갖다 붙이더니 어디선가 싣고 온 검은 함석지붕을 얹어 명백한 삶의 가옥으로 탄생시켜 버렸다. 오늘날 생각해도 참으로 기적과 같이 생겨난 뒷집이다.

그렇게 손수 집을 탄생시키는 뒷집 남자의 손재간은 마치 운명인 듯 거의 하루를 빼놓지 않을 정도로 허구한 날 무엇인가를 만들거나 고쳐왔고, 그 소음은 어김없이 쥐 죽은 듯 고요하기만 했던 내 집을 흥이 한껏 물오른 북채처럼 통통거리게 했다. 거의 매일 있는 일이라 결국엔 뒷집 소음에 대하여 무감각하게까지 되어버렸다. 당연히 지금의 소음이 마지막인 줄 전혀 생각할 수가 없었다.

뒷집 역시 얼마 전 떠나간 사람이 있었다. 늘 남편과 아웅다웅하며 살던 부인이었다. 뚱뚱한 풍채를 지녔던 그녀는 아웅다웅하는 몸살에 더러 울음소리도 냈으나 나를 볼 때는 항상 활짝 핀 해바라기처럼 방실방실 웃었다. 그래서 순박하다고도 생각했고, 귀엽다고 생각했다. 물론 부부싸움이 일어나 와장창하는 섬뜩한 소음과 함께 그녀의 울음소리가 들릴 때면 방실방실 웃는 모습의 즐거움을 느끼는 만큼이나 깊은 안타까움에 젖곤 했다.

웃든 울든, 그런 그녀의 모습이 어느 날부터인가 보이지 않았다. 궁금증으로 접한 것은 뒷집 남자의 눈물이었다. 그녀는 앞집인 나조차도 몰랐을 정도로 아무런 소문도 내지 않고 절망과 희망이 교차하는 병원에서 희망이 아닌 절망의 조각배를 타고 먼 미지의 세상으로

색의 길

흘러가 버린 것이다.

아침 수면의 물안개처럼 사라져 버린 그녀. 그렇게 떠나가는 방법 때문이었을까? 한동안 실감이 나지 않았다. 무슨 일로 뒷집을 방문하여 수다를 떠는 마을 아주머니의 소리가 들릴 때마다 나는 현존하는 그녀의 삶을 느낄 정도였다. 그러나 언제나 만나는 것은 뒷집 남자의 쓸쓸한 모습뿐이었다. 하지만 그에게도 생의 의지는 있고, 그의 숙명의 징표인 소음은 여전했다. 집주인인 앞집 남자가 떠나가고 있는 와중인 이 순간에도 계속 들려오고 있는 소음은 그저 뒷집 남자의 삶이 흐르는 소리일 뿐이었다. 나는 그렇게 여기고 있었다.

그런데 그도 떠나고 있었다. 며칠간의 소음은 남몰래 집안 기물을 정리하는 소음이었고, 한 걸음 두 걸음 떠나가는 소음이었다. 뒷집 남자는 소문을 싫어하는 사람인지도 모르겠다. 부인이 병원으로 거쳐 먼 길을 떠날 때도 말 한마디 없었다. 며칠간 계속 이어진 소음의 원인도 이사에 대한 어떤 낌새를 담고 있지 않았다. 잡다한 기물들이 하나둘 마당에 널브러지는 것은 부인과의 삶의 흔적이 하나둘 버려지는 일쯤으로만 여겨질 일이었다.

그러나 오후에 유난히 웅성거리고 우당탕거려 뒷담 너머로 보니 어엿한 집의 매력을 발산했던 지붕이 뜯겨나가고 있었다. 그는 함석지붕과 함께 왔고, 함석지붕과 함께 떠나고 있었다. 지붕은 또 어느 곳에선가 올려 질지 모르지만, 이제부터 내가 볼 수 있는 것은 소음이 스친 기억과 방실방실 웃던 해바라기에 대한 추억의 조각뿐일 것이다.

모두가 떠나고 있다. 마을 속에 있지만 나와 관련된 사람은 거의 없다. 내가 소통하는 사람이라면 직간접으로 내 생활에 다소 관련이 있는 사람이다. 그런데 그 사람들이 다 떠나고 있다.

이곳에 온 후로 가장 먼저 떠난 사람은 내가 살고 있는 이 집에서 살았던 전 집주인이자 노년 부부였다. 그들은 내가 이사 오기 일 년 전쯤, 석양으로 생긴 긴 그림자가 닿을 정도인 지척에 하얀 이층집을 지어 이사를 갔다. 내가 이사를 온 시기는 당연히 그들과 무관했다. 하지만, 내가 사는 집은 그들 생애의 추억의 집이었고, 그들이 채 치우지 않은 기물들까지 아직도 창고 여기저기에 산재해 있었다. 그래서 그들의 발길이 빈번했고, 그들과의 관계가 자연스럽게 맺어졌다.

그런데 소통한 지 한 해도 되지 않아 그들도 떠났다. 우중충한 마을을 빛내는 유난히 화사한 아름다운 집을 지어놓고도 제대로 누리지도 못한 채 짧은 시간 속에서 차례차례 병고를 치르다가 어느 날 홀연히 떠나버린 것이다.

내 눈 속에서 움직이던 사람들. 그때그때마다 나는 그들이 생기를 놓칠 것이라는 생각을 추호도 하지 않았다. 그러나 그들은 결국 홀연히 왔다가 홀연히 떠나가는 나그네들이었다. 마을을 통 틀면 나그네는 더욱 많았다. 다만 내가 영원한 이방인 마냥 그들과 소통의 범

위를 넓히지 않는 탓에 그들의 떠남에 무관하고 무심할 뿐이다. 이 마을에서 홀연히 떠나갈 나그네는 정작 내 둥지가 전혀 없는 나련만, 나만이 동구 밖 정자나무처럼 오랜 세월을 서서 떠나가는 사람들을 지켜보고 있다.

앞집 사람과 뒷집 사람이 동시에 떠나자, 별리의 감정이 뭉쳐져 처연한 인생의 길을 구른다. 애당초 인간은 떠나려고 왔지만, 그런 궁극적인 사실에 매달리지는 않고, 여전히 언제까지나 머물러 있는다는 생각을 정직한 기본으로 삼는다. 그러나 세월은 장롱 옷 좀먹듯 인생을 삭이며, 질병은 빗방울 바위 뚫듯 인생을 구멍 내고, 자연과 타인은 돌개바람 나무 넘기듯 인생을 늙게 한다. 인생은 이렇게 변고의 우울함에 덮여있으나, 언제나 심어놓은 그 자리에 있는 화단의 조팝나무는 올해도 또 흰 꽃을 피워 하얗게, 하얗게 웃고 있다. ♣

사랑, 평화, 행복, 인류의 존속을 위한다면 인간성 위에 그 무엇을 올려서는 안 된다. 욕망도 낮추고, 권력도 낮추고, 꿈도 낮추고, 자기도 낮추어 조화와 질서를 지켜야 한다.

— 「작은 예의」 중에서

# 사랑의 겨울바람

마침내 찾아왔다. 마당 곳곳에 있는 물건들이 영문도 모른 채 세차게 얻어맞는 소리가 들린다. 덜컥이고 찰싹이는 소리가 방안까지 쫓겨 들어와 아픔을 호소한다. 나더러 어쩌란 말인가! 애잔한 마음이 있어도 속수무책이다. 하긴 나조차도 간수하기 어려운 시간이다.

겨울바람 속에서는 그 어떤 자의 영화도 부질없다. 두터운 모피코트를 걸친 육신도 얇게 저며지고 흔들린다. 감각을 모을 수 없는 시린 눈동자엔 눈물이 맺히고, 정열이 사라진 입술은 곤충의 더듬이처

**색의 길**

럼 미지의 허공을 더듬는다. 모두가 공평하게 허허벌판의 도망자처럼 쫓기는 순간이다. 이런 순간에는 허물어져 가는 폐가도 안식의 요람이다.

낡은 집의 방문과 창문들은 이리저리 일그러져 여기저기 바깥세상과의 통로를 만들어 놓았다. 그 틈들은 나와 대기의 공기가 쉼 없이 소통하는 곳이다. 겨울바람은 전쟁의 명장이나 되는 듯이 그것을 놓치지 않는다. 예리하게 파고들어 방안의 모든 기물을 얼어붙게 만든다. 그러나 그쯤으로 항복의 깃발을 흔드는 사람은 없을 것이다. 작은 난로의 불을 높여 싸늘해지는 공기에 투척하며 대항한다. 그리하여 방안은 냉기와 훈기가 팽팽히 대립한 채 소강상태에 빠진다. 나는 이렇게 낡은 집 하나로 겨울바람을 견딜 수 있게 된다.


지난해 겨울, 건물과 건물 사이의 좁은 틈에 웅크린 남자를 생각한다. 아니, 빨간 손가락이 파르르 떨리고 있던 것을 생각한다. 내 손의 장갑을 벗어 그 손 위에 얹어 주었지만, 그는 꼼짝도 하지 않았다. 그의 영혼은 극한의 마비 상태를 넘어선 진공상태에 있는 것 같았다. 아무런 말도 필요 없을 것 같았다. 딱히 해줄 말도 없었다. 그의 부동의 자세와 침묵이 오히려 내게 위안을 주었다. 그대로 조용히 자리를 벗어났다. 그에 대한 많은 의문과 생각들이 쇠사슬처럼 처렁처렁 끌려왔지만, 얼굴도 보지 못한 그에 대해 상상이 미치는 바는 아무것도 없었다. 오직 생과 삶의 처연함만이 기승을 부렸다.

위안! 도대체 어떤 방식이어야 할지 알 수가 없다. 금전으로서 죽음과 같은 궁핍을 면하게 해주는 것이 가장 좋은 방법이겠지만, 그렇게 해줄 사람은 세계를 통틀어 몇몇 되지 않을 것이다. 기적을 바라는 소망 또한 언제 스칠지 모르는 저 망망한 심연 속의 유성 같은 것이어서 전혀 도움이 되지 않는다. 답답한 마음에 인생은 끝없는 의혹이라는 생각밖에 들지 않았다.

내가 떠나온 후 그는 장갑을 꼈을까? 그러리라 생각된다. 그렇게 가냘픈 위안만이 나타났다. 서로의 눈조차 마주치지 않았지만 내가 그를 위안했고, 그가 나를 위안했다. 그러나 그는 여전히 떨고 있을 것이며, 나는 아무런 도움을 주지 못했다. 그 가냘픈 위안은 오히려 드러내기 싫은 부끄러운 흉터가 되어 깊숙이 숨겨졌다. 그러나 매서운 눈빛의 이 겨울바람에 이렇게 드러나고 만다.

바람은 시간이 흐를수록 맹렬한 파편으로 갈라져 사방을 후려치며 들쑤신다. 쇼팽의 '겨울바람'은 차라리 감미로울 정도로 매섭고 광폭하다. 이 바람 속에 그는 아직도 그 자리에 있을까? 아니, 또 다른 누군가가 그 자리에서 익숙지 못한 고통에 마비되고 있을까?

문득 때를 벗겨놓은 그들의 뽀얀 나신을 생각한다. 그 나신은 누구에게나 평등한 생명의 나신이요, 삶의 나신이다. 나신의 해변에서는 우리 누구도 누가 나은지를 말할 수 없게 된다.

지금 생각하자면, 그 남자에게 장갑을 쥐여 줄 것이 아니었다. 손을 잡고 훈기가 있는 목욕탕에 갈 일이었다. 그리고 그의 나신이 뽀

색의 길

양도록 때를 밀어줄 일이었다. 따뜻한 양수가 인간 생활의 기초인 것처럼 한 인간의 삶이 재생되고, 작은 불씨처럼 인생의 희망을 향한 출발이 시작될 것이다. 이런 믿음이 곧 인간 존재의 가치이다. 몸에 걸친 의복으로써 어떤 형색을 지녔건 그 속은 누구도 알지 못하는 비밀을 지녔고, 그 비밀이 있는 한 누구도 함부로 한 인생의 몰락을 규정지어서는 안 된다. 우리는 그것을 알아야 한다.

너나없이 소중히 서로를 사랑할 계절이다. 무엇을 어떻게 해야 할지 일일이 생각할 필요가 없다. 아집과 편견을 지니면 사랑할 수가 없다. 법칙이나 계산을 지녀도 사랑할 수가 없고, 권능과 권좌를 생각해도 사랑할 수가 없다. 사랑하고 싶다면 사랑하는 마음을 지니면 될 뿐이다. 그리고 그 마음의 울림을 전하면 될 일이다.

"휭, 휭!" 겨울의 손님이 "챠르릉!" 창을 두드린다. 막막한 광야 같은 내 방은 그냥 지나갈 일이지만, 계속해서 창을 두드린다. 아무래도 더 많은 볼일이 있나 보다. 세금 고지서를 들고 있을까? 바다의 격랑처럼 영혼이 떨린다. 그러나 이 떨림은 절박한 가난으로부터 오는 인생의 편린에 불과할 뿐이다. 다른 조각들은 거의 따뜻하다.

그 마음으로 겨울바람을 생각한다. 따지고 보면 모처럼 찾아온 귀한 손님이다. 책 속의 이야기, 또는 삶의 거리에서 날 만났던 때를 생각한다. 아무도 알지 못하는 행복한 죽음과 만난 '성냥팔이 소녀'나, 한 사람의 고귀한 죽음과 한 사람의 밝은 생명을 키워냈던 '마

지막 잎새'와 같은 여러 가지 이야기를 해주었지 않은가, 서로의 체
온을 나누며 옹기종기 모여 앉은 아이들을 위한 군고구마의 구수한
냄새를 풍겨주었지 않은가!

이 겨울바람이야말로 따뜻한 사랑방의 손님이다. 사랑방을 찾아온
겨울바람은 가난한 옛 삶을 추억처럼 챙겨온다. 그 까닭에 밤새워
오순도순 이야기해도 좋을 정감 깊은 손님이다. 가난이 얽힌 추억의
이야기들은 치욕스러운 패배자들의 이야기가 아니다. 삶의 깊음을 암
시하는 경건하고 성스러운 이야기다. 이런 이야기를 하는 손님이야말
로 사랑을 하고 싶게 만들고, 희망을 품고 싶게 만드는 인생의 지복
이다.

우리들이 그렇게 겨울바람을 생각할 수 있다면, 머나먼 대지로부
터 깊은 뜻을 품고 왔다고 여길 수 있다면, 인생은 한결 화목할 것
이다. 모든 존재의 내밀한 뜻은 상상만으로도 무한한 변화의 길을
열어주지 않던가.

겨울바람을 사랑의 채찍이라는 상상을 한다. "휭!" 하는 소리에 "
찰싹!" 얻어맞고, 세상의 모든 것에 대한 사랑을 생각한다. ♣

# 들숨과 날숨

　한 해를 돌아 오랜만에 또다시 군불을 땔 시기이다. 한동안 잊힌 채 처연할 정도로 식어버린 아궁이를 마주한다. 불을 지피는 요령 따위를 염두에 둔 적은 없다. 그냥 자연스러운 행위로 불길을 일궈 낸다. 바싹 메마른 불쏘시개로 만든 바탕 불이 잘 타오를 무렵 굵은 장작들을 하나둘 채워 넣기 시작한다. 그러나 조금 후부터 갑자기 아궁이에서 혼란이 일어난다. 장작 타는 불빛만이 환해야 할 아궁이가 계속해서 뿌연 연기를 사정없이 토해낸다. 아궁이를 품고 있는 작은 헛간의 공간이 온통 연기 장막이다. 눈물 젖은 눈동자가 정신없이 방황한다. 오갈 때 없는 숨이 입안에서 부푼다. 참을 수 없어 탈출한다.

연기가 삭아 들자 이상하다 하면서도 별생각 없이 다시금 아궁이 앞에 앉아 힘 잃은 불을 돋운다. 또 마찬가지다. 이렇게 세 번째까지 반복된다. 그러나 시원스레 숨을 쉬던 지난해 불길의 활달함은 끝끝내 돌아오지 않는다. 얻는 것은 오직 무거운 감정뿐이다.

봄 여름 가을을 거치는 세월 중에 역할 없이 숨죽여 있었던 아궁이에 무슨 문제가 생긴 것이 틀림없다. 흡입구인 부넘기 뒤쪽이던가, 배기구인 개자리 쪽 어딘가가 무너져 순환 통로를 막아버렸다는 짐작이 든다. 오래된 허름한 시골집인 탓에 가만히 있어도 여기저기 생채기가 생기는 판인지라 부정할 여력도 없다. 겨우내 군불로 지탱하자면 결국 방바닥을 다 파헤치는 큰 공사를 거쳐 복구하건, 아니면 다른 난방 방식으로 바꿔야 한다. 어떻게든 돈을 들여야 하는 일이며, 이 사실은 내 숨을 꽉 막아버리는 일이다.

실제로 내 숨이 혼란스러워진다. 날숨이 한숨으로 길게 늘어지고, 들숨이 진공청소기에 빨린 양 빠르게 치밀어 든다. 자연스레 폐부에서 질서를 잃고 우왕좌왕하는 숨이 가슴을 압박해 온다. 놀라서 절명하는 사람들의 경과가 이런 것이리라. 들숨과 날숨의 부조화는 어떤 예술로도 승화시킬 수 없는 명확한 본질을 갖는다. 죽음이다. 살면서 그러한 모습을 수없이 보아왔다. 젊은 날 가졌던 직장이 병원이었기 때문이다.

들숨과 날숨의 부조화는 생명 자체에 위협을 준다. 그 때문에 생명의 명목이 이는 한 언제나 완벽한 조화로 성립되어야 한다. 어느

색의 길

장단이 길어도 안 되고, 짧아도 안 된다. 어릴 적 진달래와 혼동한 철쭉꽃을 먹고 복통을 겪으면서 들숨과 날숨의 기복이 헝클어져 버렸던 적이 있다. 숨을 쉬지 못하는 괴로움에 푸른 보리밭을 마구 뒹굴었다. 저쪽 산간 밭에 일하는 엄마를 부를 정신도 없었다. 보릿대 부러지는 소리만 자작자작 요란하게 들려왔다. 그리고 모든 것이 가물거리며 사라져갔다.

다행히 내 들숨과 날숨은 나흘 후 대도시 병원에서 균형을 잡았지만, 그 후로 숨이 막히는 것에 대한 엄청난 두려움이 항상 나를 따라다니고 있다. 경험한 나에게 있어 들숨과 날숨의 조화는 절대적이다. 숨을 고르게 쉬어야 한다는 것! 경험치 않은 당신에게도 분명하게 와 닿는 절대적 사실일 것이다.

고운 아기를 무척 좋아하지만, 그러나 혼자서 아기를 지켜볼 자신은 손톱만큼도 없다. 어느 날 잠깐 갓난아기를 곁에서 지켜보게 된 때가 있었다. 가만히 들여다보고 있는 동안 잠든 아기의 신비함에 매료되기는 했으나, 어느 순간부터 겁이 덜컥 나버렸다. 들숨이 언제 있었고, 날숨이 언제 있었는지도 모를 정도로 아기의 숨결은 한참을 끊긴 것 같았고, 그러다가 갑자기 쌔근쌔근 기척이 돌아오곤 했다. 그렇게 숨을 쉬는 듯 안 쉬는 듯 기복이 있었던 탓에 아기에게 무슨 문제가 생긴 것이 아닌가 하며 극도로 긴장했다. 잠시 자리를 비운 아기엄마가 얼른 돌아오기만을 간절히 기다렸다. 그동안 내 숨이 먼저 넘어가지 않은 것이 기적 같을 정도였다. 나는 그렇게 정상적이지 못한 숨결을 두려워한다.

어느 모로 보나 들숨과 날숨은 그넷줄처럼 가지런해야 한다. 어느 쪽이 조금만 짧거나 길어도 회오리처럼 비틀리며 위기의 공포를 준다. 그러다가 한쪽 줄이 끊어지기라도 한다면, 승천과 나락의 차이가 얼마나 매서운지를 경험케 된다. 어느 날 그네를 탔을 때 어머니의 팔 힘으로 승천하여 얻는 푸른 하늘이 순식간 열 길 우물 속 어둠으로 바뀌는 경험을 했다. 나도 울었고 엄마도 울었다. 외동인 내 울음을 뚫고 들리던 엄마의 들숨과 날숨소리는 미숙하게 불리는 버들피리 소리처럼 거친 헛바람이 되어 내 귀를 때렸다. 아픔도 아픔이지만 온통 혼란스러웠다. 그 뒤로 나는 항상 밑신개에 앉거나 발을 디디기 전 양쪽 그넷줄에 힘껏 매달려본 뒤 그네를 탔다.

숨은 정확한 배분으로 똑딱거리는 초침 소리처럼 들숨과 날숨이 일정하게 작동하는 것으로써 본분을 갖는다. 이는 변조될 수 없는 생명의 법칙이다. 그러면서도 생체의 정직한 호흡에만 관여된 것이 아니다. 자연의 물상, 별들의 질서, 바다의 조류, 인간의 생각과 꿈, 법과 사회의 규칙 등 이 지상에 존재하는 모든 물리적, 정신적 상태에 해당하며, 그들이 자신의 목적과 가치대로 운용될 수 있는 조화로 작용한다. 들숨과 날숨은 우리 세계의 기반이다. 이 기반이 바르게 움직이는 속이라면 틀림없이 평화와 안식의 공기가 흐른다. 이 기반이 무너지는 곳엔 온통 혼란이다. 들어오는 돈은 적은데, 나가는 돈은 많다고 생각해 보라. 이 때문에 저 높은 대교나 옥상이 위에서

**색의 길**

얼마나 많은 생명이 떨어졌는가. 반대로 들어오는 돈은 많은데, 내보내는 돈은 적다고 생각해 보라. 그 발아래 또 얼마나 많은 고통이 눈물을 뿌리는가.

　연기 자욱한 현실에 난감해하며 아궁이와 굴뚝 쪽을 번갈아 가며 살펴보지만, 구멍 안 검은 공간에 무슨 일이 일어났는지 알 길이 없다. 구들 속의 부넘기와 개자리는 애당초 겉으로 확인해 볼 수 있는 구조가 아니다. 그저 막대기로 막연하게 이리저리 쑤셔보지만 얼마 들어가지도 못한 채 턱턱 막히기만 할 뿐이다. 그에 따라 내 숨도 속절없이 턱턱 막힌다. 이렇게 막히는 숨을 달리 타개할 방법도 없다. 방바닥을 완전히 파헤쳐 볼 재간도 없고, 돈을 댈 여력도 없다. 오직 막대기로 몇 번 쑤셔봤다고 혹시나 하는 실낱같은 희망을 지니고 다시금 불을 지펴보는 가련한 행동만을 취해 볼 뿐이다. 하지만 아궁이는 속절없이 소나기구름만 토해내고, 그것을 아는지 모르는지 굴뚝 쪽은 시린 공기만 투명하게 흐른다.
　길어진 날숨은 한숨이다. 한숨이 나온다는 것은 생명에 상처를 낳는 들숨과 날숨의 부조화가 진행된다는 말이다. 겨울이 온 저녁에 아궁이 불지피기에서 두 손을 탁 놓아버린 이 순간, 나는 들숨과 날숨을 하지 못하는 또 하나의 처연한 주검을 보게 된다. ♣

# 인연을 버린 삶

호젓한 산길이며 폭우 속의 은밀함, 외로운 낚싯대 하나 드리운 호수의 정적, 푸르스름한 달빛만이 있는 새벽, 그곳에서 나는 모든 인사말을 거둔 채 죽음처럼 숨죽이고, 미아처럼 슬퍼하려는 걸까? 또는 운명과 관습의 담장을 넘어서는 도의 경지를 찾아 어떤 경계를 넘으려는 걸까? 아니면 푸른 들판에 화사한 들꽃들을 넘나드는 나비라도 되려는 걸까? 분명한 목적이 아닌 곳에 신이 규범을 짓듯이, 아련한 상념 속에 진리의 고백이라도 들으려는 걸까? 그럴지도 모르리라는 생각이 들지만, 현명하지는 않다.

언젠가 만났던 사람들, 더불어 이야기를 나누고 웃었던 사람들, 또는 부딪쳐 상처를 내거나 은혜로운 화평을 주고받던 사람들. 그들

색의 길

이 기억에 샘솟아 정밀한 단편들을 만들어 낼 때도, 나의 인연은 그저 그리움과 한탄만으로 묵묵한 시름과 쓸쓸한 근심의 바다를 홀로 항해할 뿐이다. 그러니 인연을 말할 때, 나는 대체로 미소보다는 상념이 앞선다. 또한 무엇보다도 자책이 앞선다.

나를 기억하는 만남들, 애정 어린 시선들, 또는 친인척 같은 숙명으로 매듭진 사람들을 외면할 때, 나의 참다운 행실들조차도 죄다 위선이며, 모두 허사가 된다. 이상스럽게 여기며, 비난하며, 궁금증과 걱정을 아울러 지니는 그들을 생각할 때, 부끄러워 먼 훗날에도 그들을 찾지 못한다. 나에게는 얼마나 비참한 요소가 숨어 있는가.


우리는 늘 어떤 인연 속에 있다. 그 인연이 현실적으로 자신에게 어떤 영향을 미치는가도 중요하겠지만, 인연의 더욱 중요한 점은 자기 자신의 존재 가치와 생동의 빛이 있다는 사실이다. 그리고 무엇보다도 만물에 적용된다는 점이다.

악어와 악어새의 공생 관계도 그들의 숙명적인 인연이다. 약초는 산불 이후에 더욱 잘 자라난다. 약초와 산불의 인연은 자연의 신비인 동시에 생명의 순환이다. 다행스럽게도 인간은 다양한 감각과 의지로 그들과 영구히 맺혀 있다. 그 또한 인연이다.

현대 사회에 있어서 고도의 산업 문명은 범 인류주의적인 요소로 인간관계를 밀착시켜 놓고 있다. 이 지상은 인연의 철망 속에 송두리째 갇혀 있는 것이다. 만약 어떤 이해관계가 없다면 우리는 얼마나 축복받고 있겠는가. 만약 사상만 없다면 우리는 얼마나 화평을 체험할 것인가. 노래가 있어 합창도 하며, 스포츠가 있어 열광도 하지만, 그러나 인연의 철망 속은 행동의 한계를 지닌 새장 속일 수밖에 없다. 끝없는 탈피를 꿈꾸며 오늘의 인연에 권태를 느끼고 내일의 인연에 호감을 지니지만, 결국은 인연과 인연을 건너뛰고만 있을 뿐 어느 찰나에도 인연을 벗어나지 못하는 것이다.

인정해야 하고, 그에 있어 저속하고 비참한 인연에 속박된 자에게는 참으로 비극적인 일이라 여겨진다. 반면에 지고한 사랑과 우정은 인연의 백미이자, 최고의 행운이다. 구멍가게 앞의 허름한 평상에 앉은 두 노인이 아직도 그 청춘이 살아서, 젊은 여주인을 놓고 즐거운 수작을 사이좋게 부릴 수 있다면, 또는 한번 짝지은 상대와의 영원한 정절을 꿈꾸는 부전나비라면, 새장 밖의 창공을 달리 꿈꾸겠는가!

희극적인 요소의 인연은 기대 이상의 삶의 가치이며, 황금의 들판보다도 더욱 풍족한 부유의 재산임이 틀림없다. 그러나 비극적인 요소의 인연만이 있거나, 이런저런 이유로 인연과 멀어진 자라면 모든 것이 허망하기 그지없을 테니 자살이라도 하기에 딱 알맞다. 그러한 자와 고의로 인연을 회피하려는 나의 차이에 그 무엇이 달리 있을 수가 없다. 그러니 그도, 나도 죽은 자이다. 이 사회에서 어떤 묘비명도 얻지 못한 채 어두운 심연 속에 목메는 가슴으로 쓰러져 누운 자이다.

어찌 우리는 이런 병이 들었는가? 이유가 같을 리는 없고, 이유조

색의 길

차도 모르는 상태일 수도 있다. 나도 그렇다. 왜 이렇게 인연을 멀리 하게 되었는지 이 생각 저 생각 속에서도 실마리가 잡히지 않는다.

일단 자존심이 너무 강하고, 자유의 의지가 너무 강한 것은 분명하다. 내가 하는 일에 아무도 간섭하지 않기를 바라고, 아무 곳이나 휭휭 불어가는 바람이 되고 싶다. 이 마음을 끊임없이 샘솟게 하는 발원지를 찾아 거슬러 올라가 본다. 어렴풋이 우리 집, 우리 논밭, 우리 소 한 마리 없는 가난이 보이고, 거기에서 소일거리 없이 홀로 흙장난, 물장난치는 아이만 보인다. 중학교 2학년 때 전학이라는 행위를 통해 새로운 세계를 맞이했다. 대신 그동안의 친구들은 단절되었고, 익숙지 않은 또 다른 또래들을 서먹서먹한 거리에 두고 있었다. 이런 낯섦 속에서 고등학교 진학이 이루어졌고, 다시금 낯선 세계였다. 짧은 세월 동안 주변 환경이 주마등처럼 변한 것이다.

금방 바뀔 수 없는 촌티는 여전히 남아있을 수밖에 없었다. 자연히 도시 아이들과의 괴리감이 스멀거렸고, 나를 점점 숨기게 되었다. 그저 홀로 있을 때가 마음이 편해졌다. 그것은 곧 사람들과의 균열의 전조였다. 사람들이 고인 틀이 점점 싫어지기 시작했다. 그리고 고등학교 1학년을 마친 직후, 기어코 틀의 탈피에 몸부림을 치고 말았다. 그렇게 나는 사람 사는 세상에서 둥둥 떨어져 나와 그때부터 유랑인이 되었다. 그리고 그 상태에 익숙해져 왔다. 결국 인연을 멀리하는 나의 삶이 그런 연유에서 비롯된 것일까 하는 의심이 생기게 된다.

확실하다는 생각을 가질 수는 없다. 게다가 의외로 군 생활은 잘했고, 직장 생활에서는 활달한 활동으로 인기와 총애도 받곤 했다. 사람들과 어울려 밭일도 잘했고, 이웃 아이들도 잘 따라서 같이 놀곤 했던 때도 있었다. 그렇게 사람들과 활달한 삶을 누리기도 했건만, 어찌 된 일일까? 나는 끝끝내 사람 사는 세상과 별리를 이룬 채 이렇게 홀로이고, 이것이 오직 좋다, 좋다!

그러나 틀림없이 잘못된 일이다. 아무리 좋고 좋아도 정당화할 수가 없고, 지울 수 없는 비애가 가슴 한편에서 울부짖고 있다. 홀로됨이 좋고 좋은데 왜 이런 비애가 일어나는 것일까?

우리들 인간에겐 동물 본능이 있다. 그런데 어떤 과학적 탐색을 보아도 동물 본능에는 교육되지 않아도 교육된 필연적이고 숙명적인 종족보존 및 동족 연대감이 척추처럼 도사리고 있다. 연인은 연인끼리, 가족은 가족끼리, 민족은 민족끼리, 이렇게 인간은 인간끼리 필요한 형태의 관계 맺음으로 종족보존과 동족 연대감이라는 생의 갈구를 이뤄간다. 이를 위배할 어떤 명분도 필요 없다. 독신자의 자기 당위성을 위한 변명과 미화는 위선이요, 가식일 뿐이다.

나와 같을 리 없는 이유로 사람을 멀리하는 당신은 어떤 생각인가? 어떤 생각이 있건, 인연을 멀리하는 일은 자기 심적 욕구 만에 매달린 채 지독스러운 이기심을 보이는 자기 질환이다. 고쳐야 한다. 어떻게 해서건 이 질환을 고치고 사람 사는 훈기의 장소로 돌아올 생각을 해야 한다. 만약 젊은 당신이 인연을 멀리하는 상태라면 더

색의 길

더욱.

　나이가 든 나는 고칠 여력마저 잃었다. 하지만, 고백하건대 나는 요즘 주말이면 어김없이 많은 사람이 내왕하는 근처의 관광지를 찾고 있고, 거기서 삼삼오오 어울려 웃음 띤 사람들을 남몰래 구경하는 비밀을 가지고 있다. 그리고 이 일이 어쩐지 취미가 된 듯하다. 많은 사람을 볼 수 있는 매주 주말이 환희의 언약처럼 그렇게 기다려지는 것이다. 감미로운 연인들과 해맑은 아이들, 다정한 가족들의 모습이 보면 볼수록 아름다우니 자꾸만 미소가 떠오르는 탓이다. ♣

# 무한한 희망

태양이 막 솟아오른 찰나에 우리는 한 해가 또 바뀌었다는 것을 인정한다. 성급한 자는 제야의 마지막 종소리가 울린 그 순간부터 이미 새해의 마음을 밝히고 있다. 그리하여 마치 천 년을 기다려 왔다는 것처럼 일제히 열렬한 소망과 함께 새로운 희망을 품기 시작한다. 무언가의 시작이며, 무언가의 염원이며, 또 무언가의 각오로 피어난 꽃송이를 들고서 결혼을 고백하는 사랑의 진지함과 도무지 다를 바가 없다.

평상심을 옹호하는 불가의 해석으로서는 헛기침을 쿡쿡 내뱉을 일이겠지만, 죽어가는 자를 순간적인 전기충격요법으로 살려내는 의료기술도 반드시 필요한 법. 떠오르는 태양을 바라보는 순간 저절로 터져 나오는 갈망 또한 한 해의 삶의 힘을 얻는 데 있어 좋은 묘약

고적을 찾아서

이 된다.

　모름지기 한순간의 영적인 구원에 취해 몸을 부르르 떨며 떠오르는 태양을 굳건히 주시하는 저 의지의 사람들을 축복하는 일이 절로 마음에 일어난다. 그 가치는 이미 육체 속의 심장처럼 존재하고 있다. 그 가치를 신이 설명하랴, 자연이 설명하랴! 희망을 품는 한 그 어떤 불확실성도 모두 용서가 된다.

　새해의 태양을 맞이한 후 대문 앞에 이르렀을 때, 우편함 속에 수북이 쌓여 있는 납세고지서는 가난한 자에게 크나큰 재앙이다. 새해맞이 영광도 순식간 식는다. 모든 것이 허사이다. 그러나 방안에 들어설 때 눈에 띄는 새해의 달력 한 장이면 아무리 많은 납세고지서일지라도 능히 덮어버릴 수 있다. 줄지은 숫자들이 더 멀리 더 넓은 세상을 열어주기 때문이다. 무한한 여유가 생겨나며 납세고지서로 인하여 초라해진 아내의 손을 꼭 잡아 줄 수 있다. 또다시 희망이 솟는다.

　아내는 틀림없이 장롱을 열고 남편의 옷들을 다림질하며 온갖 애정을 다하게 된다. 남편이 입은 그 옷들의 어느 호주머니엔가는 격려와 사랑이 얼룩진 의외의 용돈이 숨겨져 있음은 더 말할 나위가 없다. 어쩌면 그 용돈은 아이의 인형이나 아내의 목도리로 다시금 되돌아올지도 모른다. 그를 위해 옷이란 옷 속엔 제다 비상금 주머니가 달렸기를 바란다.

그렇게 펼쳐지는 사랑의 자산도 결국은 희망이다. 희망이 없는 사랑은 미각을 잃어버린 사람 앞에 놓인 음식물이다. 동물성 섭취 행위만이 있을 뿐이다. 하지만, 인간은 틀림없이 만물 위에 군림하는 거드름의 영장이다. 전쟁, 기아, 질병들로부터 무참히 고개가 꺾이더라도 포근한 수의를 입고 잠든 그의 무덤 앞에는 비석과 꽃, 그리고 경의로써 영장의 명분은 여전히 지켜지게 마련이다. 그 명분이 무덤 속에서조차도 살아있는 한, 어떠한 경우도 희망과 사랑을 결별시켜 놓을 수는 없다.

어떤 아름다운 이야기를 하지 않더라도 희망 하나로 모든 질병을 극복하고 회복하는 수많은 사람의 이야기가 있다. 그것은 해안의 모래알처럼 수없이 반짝인다. 결국엔 생명의 끈을 놓는 자가 있기도 하지만, 그럴지라도 끝끝내 희망을 유지한 채 눈을 감은 얼굴에는 저승사자도 돌아서서 우는 위대한 생명의 경건함이 감돌게 마련이다. 그 모습은 시들어 가는 옆 환자의 기력에도 크나큰 선물이 될 영원한 생명임이 틀림없다.

그럼에도 때로는 희망을 멸시하는 자들이 있다. 아리스토텔레스가 그렇고, 벤저민 프랭클린이 그렇다. 아리스토텔레스는 <희망은 백일몽에 불과하다.>고 하였고, 프랭클린은 <희망을 먹고 사는 사람은 결국엔 굶어 죽고 말 것이다.>라고 투덜거렸다. 그러나 그들은 분명히 어떤 순간을 참지 못했음이 틀림없다. 그들은 그 한순간에 희망을 깜빡한 것이다.

변화하든 쉬든, 희망이 그 빛을 잃고 사라지는 것은 아니다. 희망은 치매 속에도 머물러 있다. 할머니는 아무리 말려도 꼼지락꼼지락 보따리를 싼다. 어디로 갈 것이냐고 물어도 말없이 어디론가 자꾸만 가고자 하는 것이다. 그곳이 어떤 곳일까를 상상할 필요는 없다. 가고 싶어 하는 마음을 불러일으키는 곳. 그곳이 어디든 할머니는 가고 싶은 것이다. 할머니의 희망이다.

미래를 그리는 갈망이 희망이라고? 인정은 되나 그도 극히 일부분일 뿐이다. <물에 빠지면 지푸라기라도 손에 잡는다.>는 속담이 있다. 당연히 하찮은 지푸라기조차도 희망이다. 먼 옛날로 돌아가 어머니의 손을 잡고 예쁜 인형을 사던 즐거운 그때도 희망이다. 그리움의 눈물을 반짝일 때 우리의 가슴속엔 한없이 아름다운 꿈이 솟기 때문이다. 그 순간 우리는 절로 삶을 환대한다.


희망은 무한하다. 만물을 둘러보면 특히 그렇다. 한겨울의 땅바닥에 바싹 달라붙어 있는 달맞이꽃을 보라. 그 불그레한 잎을 어긋나게 배열하여 겹치는 법이 없다. 한겨울 모진 추위를 이겨나가고자 모든 잎마다 고루고루 햇빛을 받고자 하는 희망이다. 철새는 왜 때가 되면 고난의 수백, 수천 킬로를 날아가는 것일까? 따뜻한 낙원을 그리는 것이다. 생존을 향한 그들의 희망이다. 오랜 가뭄이 이어지고 있는 때, 어느 날 밤하늘에 짙은 달무리가 나타났다. 틀림없이 비가 내릴 징조이다. 크나큰 희망이다.

의식이 광범위한 우리 인간에게 있어서 희망은 특히 뚜렷한 소유물이다. 모든 이의 의지 속에 틀림없이 산사의 풍경처럼 매달려 있다. 삼라만상의 사물이 그 종을 건드리면 묵중한 바위마저도 깡충깡충 뛰어놀 정도로 명랑한 소리가 울려 퍼진다. 어떤 이는 봄날의 종달새 지저귐으로 들을 수도 있고, 어떤 이는 이른 아침의 자명종 소리로 들을 수도 있다. 어떤 소리로 듣건, 그 소리를 듣는 순간 태양은 틀림없이 환히 떠오르며, 마음은 또다시 새로운 봄빛이다. ♣

**고적을 찾아서**

# 낙엽 한 잎으로 새겨지기를

저무는 해에 쫓겨 조급한 행동을 하다가 10여 미터의 비탈을 굴렀다. 경황없는 육신의 처지를 다급히 수습했을 때, 무릎 안쪽이 어딘가에 심하게 부딪힌 것을 알았다. 아예 걷지를 못했다. 상황이 매우 위태롭다는 것을 느꼈다. 거의 기어서 평탄지대로 이동했다. 그리고 천천히 다리를 살펴보았지만, 별다른 이상이 있어 보이지 않았다. 큰 충격으로 인한 일시적 마비 상태였을 뿐이었다. 깊은 숲속에서 홀로 겪은 일이다.

위기를 맞았다는 것. 그 위기로부터 죽음의 재난에 이를 수도 있다는 것! 만약 그렇게 죽었더라면, 그 죽음의 의미는 무엇일까? 그냥 약초꾼 한 사람이 비탈에서 굴러 죽고 만 것일까? 인생으로 보자면 어떤 추도사가 필요 없는 정녕 허망한 죽음! 이런 죽음에 대해 매우 비관적인 사람이 '재수 없게 죽었네!'라고 조소해도 전혀 이상스러운 것이 아니다. 하지만, 이것을 알라! 죽음은 상태의 문제가 아닌, 인생의 문제라는 것을.

약초꾼의 길은 언제나 위험과 함께하고 있다. 평지가 없는 비탈만을 온종일 오르내려야 하고, 석이버섯이나 오래된 도라지 등을 채취하기 위해 절벽에 매달리기도 해야 하고, 사방에 은밀히 도사리고 있는 뱀이나 벌집에 노출되어 있으며, 급작스러운 기상변화로 인해 폭우나 폭설에 고립되기도 해야 한다. 그런 위험과 함께하고 있다는 것은 그만큼 죽을 확률도 높다는 뜻이다. 즉 약초꾼은 늘 죽음과 함께 있는 것이다. 그런 약초꾼이 산에서 굴러 죽는다면, 그것은 재수가 없는 상태가 아니라, 자연스러운 삶의 상태이다.

죽음의 길. 이 길은 결국 우리가 가고 있는 길이다. 다만 어떤 인생을 살다가 죽느냐의 가치만 남았다. 인생이 소멸하는 날 위안을 받을 것이라곤 오직 이 가치밖에 없다. 때가 되어 자연스럽게 눈을 감는다는 것, 가족의 눈빛과 사랑을 느끼며 죽는다는 것, 희생 등과 같은 명예를 남기며 죽는다는 것, 또는 충실한 직무, 삶의 이상. 자아의 꿈 등, 자기 삶의 바탕을 충실히 이행하는 중에 죽는다는 것! 이런 죽음은 시신의 상태가 어떤 모습이건 인생의 성스러운 가치를 대변한다.

성스러운 가치를 가진 자는 무덤 속에서도 인생을 말할 수 있다.

**고적을 찾아서**

그리하여 남은 자의 자부심과 희망을 돋우고, 나아가서는 인류의 영광을 윤회시킨다는 것! 얼마나 멋진 삶의 지표이며 인생의 가치인가! 그러니 이러한 정의 하에 모든 것은 이루어져야 한다. 사회적 무명인 것을 탓할 필요는 없다. 스스로가 지향하는 삶에 충실한 자체만으로도 성스러운 것이며, 위대한 것이다. 그리고 이 흔적은 세상에 남겨져야 한다.

죽고 나면 그뿐이라는 허망한 결론을 내리는 사람들이 있다. 아마도 죽음으로써 자각까지 잃는 까닭에 죽음 이후에 자신의 감정이 누릴 것은 아무것도 없다는 생각에서일 것이다. 표면적으로는 그렇기도 하다. 그러나 살아생전 자각의 감정이란 오로지 자신의 소유물이던가. 아니다. 그 감정은 쌍둥이의 텔레파시처럼 내 밖의 모든 인류의 감정과 연결된다. 그래서 죽음은 또 다른 삶의 연장이다.

실제로 한 인간의 인생은 수백, 수천 년의 역사에 남는다. 물론 성현, 의인, 열사, 명사, 영웅호걸들의 이야기다. 하지만, 역사로 기록되지 않은 미미한 인생도 결국엔 마찬가지다. 독자와 독자의 영혼을 건너뛰며 오랜 세월의 시간적 예우는 받는 시인이 되지 못할지라도, 죽음 직후에 남는 삶의 흔적은 그 사람의 인생 지표가 되어 가족과 자손뿐만이 아니라, 무덤을 스치며 묘비명을 바라본 한 나그네, 즉 우리 모두에게 지대한 영향을 미친다. 그 영향이 사라질 때까지 그는 여전히 살고 있는 자이며, 그 인생이 존중된다. 그런데 우리나라의 문제는 그 인생을 알아볼 수 있는 묘비명이 거의 없다는 점이다.

산을 헤매는 약초꾼으로서 매우 흔하게 만날 수 있는 것이 무덤이다. 일부러 무덤을 찾아다니기도 한다. 무덤 주변에 유독 잘 자라는 몇몇 귀한 약초들이 있는 까닭이다. 그렇게 만난 무덤은 묘비가 있는 것도 있고, 없는 것도 있다. 그러나 나는 묘비가 있어도 묘비 보기를 꺼린다. 거기엔 인생의 지표를 말해줄 수 있는 묘비명이 있는 것이 아니라, 어떤 관직에 앉았다거나 어떤 업적을 이루었다는 칭송 일색의 문구만이 소나기처럼 씌어 내리고 있기 때문이다. 우리 산야에 선 묘비는 그냥 좀 살았던 사람들의 자화자찬 비석이라 정의해도 전혀 이상하지가 않을 정도이다. 명예나 권력을 즐기지 않는 나로서는 특히 질색할 일이다.

죽음 직전에 '매화에 물을 주라.' 한 뒤 앉은 그대로 임종했다는 대학자가 있다. 퇴계 이황 선생이다. 그는 대학자답게 생과 사의 경과를 예지롭게 보고 있었음이 분명하다. 당연히 죽음 이후의 상황도 생각했다. 그래서 스스로 묘비명을 썼는데, 후대가 쓸 경우 필경 과도한 칭송만을 일삼을 것을 알고 그를 부끄럽게 여겨 아예 자신이 먼저 묘비명을 쓰게 된 것이라 한다. 그런 마음으로 쓴 그의 비문은 당연히 직책이나 업적의 나열이 아닌, 인생의 내력과 죽음을 맞이하는 마음을 담담하게 토로한 묘비명으로 되어 있다. 한문학자의 도움

고적을 찾아서

으로 해석해 보면, 진실로 그 인생이 이 세상에 있고, 그 마음이 살아 바로 이 순간에도 우리와 이야기하고 있게 된다.

세계의 묘비명을 찾아보니, 금오신화를 저술한 매월당 김시습은 자신의 묘비에 '꿈꾸다 죽은 늙은이'라는 묘비명이 새겨지길 원했다고 한다. 그 묘비명으로 인하여 그의 인생 역사가 등댓불처럼 빛나는 생기를 갖는다. 또한 기인이사 중광스님의 묘비명은 어떤가. '에이, 괜히 왔다 간다.'라는 그의 묘비명. 이는 인생이 살아있을 정도가 아니라, 아직도 잘못된 세상에 분노하며 펄쩍펄쩍 뛰고 있지 않은가! 영국의 유명한 극작가 버나드 쇼의 묘비명은 어떤가! '내 우물쭈물하다가 이럴 줄 알았다'며 여전히 인생을 해학하고 있다. 무릎을 '탁' 치게 만든 묘비명도 있다. '반송 - 개봉하지 않았음' 평생을 처녀로 살다 간 어느 여성우체국장의 묘비명이란다. 평생 독신으로 살아온 내가 물어물어 찾아서 청혼의 꽃다발을 전하고 싶을 수밖에 없는 묘비명이다. 이렇게 그들은 묘비명으로써 살아있으면서 인생을 말하고 있고, 후대의 마음을 요동케 하고 있다.

그들이 반드시 옳게만 살았다고는 볼 수 없다. 누군가에게 상처를 주기도 했을 것이며, 때로는 부끄러운 일도 했을 것이다. 그것이 상습적이거나 고질적으로 고착되었다면 문제가 있겠지만, 대부분의 경우, 삶의 편린에 지나지 않는다. 인생 자체가 그러한 것이다. 그들은 살아생전 인생을 사랑했다. 오늘날 우리들 마음이 외치지 않는가, 그렇다고!

인생을 어떻게 살았느냐에 대한 평가는 절대적일 수가 없다. 그러면서도 한 인생은 하나의 축으로 평가될 수 있다. 인류가 지향하는 인간성이라는 보편성이 있기 때문이다. 그에 따라 우리들 대부분은 인생과 삶을 일축할 수 있는 묘비명을 세울 수 있다. 이를 무시한 무덤은 참으로 허망한 무덤이다.

약초를 채취하기 위해 언제나 홀로 숲속을 걷는다. 그렇게 걷는 동안은 세상이 사라진 듯 삶의 모든 소요가 멎는다. 자유와 평화! 내 인생이 바라는 모든 것! 나는 이것을 자연의 숲속에서 찾아내고 있다. 그리고 어느 날 어떤 상태로 서건, 숲속에서 죽기를 바란다. 그러니 산비탈에서 굴러 홀로 쓸쓸히 죽을지라도, 결코 허망한 죽음이 아니요, 부자연스러운 죽음도 아니다. 매우 자연스러운 죽음이다. 그때 내 죽음의 자리에 묘비명이 세워졌으면 한다. 그리고 묘비명에는 이런 문구가 새겨지길 바란다.

"여기 낙엽 한 잎 떨어져 있네!" ♣

**고적을 찾아서**

4부 겨울 색에 물들다

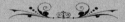

고적 속에서라면 나는 언제나 뚜렷하고 정밀한 그 무엇을 본다.
존재의 위대함이 사방에서 나타나고, 고상한 모든 것이 자라난다.
따뜻함이 가슴에 나타나고 사랑의 빛이 눈에 감돈다.
그리고 세상과 삶을 한층 귀하게 여긴다.

# 다시 떠나가는 길

# 고적을 찾아서

점점 외롭고 싶은 것이다. 그리고 점점 사라져 어딘가에 말없이 서 있기는 하겠지만 여기에는 없고 싶은 것이다.

따뜻한 봄빛을 택하여 들녘을 떠들썩하게 지나가는 여인네들에게 깊은 산중의 고요 같은 고적함이 있을 리가 만무하지만, 저들의 등을 밀치는 바람엔 아직도 싸늘한 겨울의 적막함이 있을진대, 여전히 거기에 있고 싶은 것이다.

진종일 그 무엇도 오지 않는 텅 빈 참나무 숲속, 인적이 없는 산맥을 따라 내려온 바람, 그리고 흔적조차 찾을 수 없는 형형색색의 아름다운 생기들…. 그 겨울이 지닌 모든 적막의 빛이 오랜 삶을 암시하는 비문처럼 새겨져 있는 곳에, 나도 영원히 새겨져 있고 싶은 것이다.

　겨우내 새파라니 얼어 입술도 굳고, 움직임도 없고, 눈빛도 없으리라! 오직 새하얀 장막 속에서 생각을 키우며, 꿈을 만들며, 태고의 신성한 풍경이나 폐허가 된 미래의 적막한 풍경을 그리워할 것이니, 깊은 시름이 자라나는 중에도 삶을 사모하는 마음은 저의 양심에 줄곧 비정한 쓰레기를 쌓아 가는 치욕을 담지 않으리라!

　나는 고적하고 싶은 것이다. 고적은 침묵 속에서 자라나 맑은 거울처럼 나를 비춘다. 그러므로 겨울의 숨죽인 풍경뿐만 아니라, 침묵이 있는 곳이라면 어디든지 가고 싶은 것이다. 이런 이상스러운 이유를 분명하게 말할 수는 없지만, 고적만이 나를 정상인으로 되돌려 놓는다. 사회 속에서는 모든 사물이 흐릿하다. 질서가 있는 듯 없는 듯 혼란스럽고, 존재의 가치가 이것인지 저것인지조차도 불분명하다.

　나는 미아이다. 더욱이 사회는 정당한 길을 가리켜 주지도 않는다. 나는 겁먹은 듯 방황한다. 태어나면서 사회적인 생활이 이토록 나를 어리벙벙하게 만들 줄을 어떻게 알았겠는가. 나의 신경에는 사회의 혼잡스러운 경로를 도저히 감당치 못할 그 무엇이 모질도록 얽혀져 있는 것이다.

　고적 속에서라면 나는 언제나 뚜렷하고 정밀한 그 무엇을 본다. 존재의 위대함이 사방에서 나타나고, 고상한 모든 것이 자라난다. 따뜻함이 가슴에 나타나고 사랑의 빛이 눈에 감돈다. 그리고 세상과 삶을 한층 귀하게 여긴다.

하지만, 어쩐 일인지 이 사회에서 물러서는 일이 가혹할 정도로 불가능하다. 결코, 해부할 수 없이 맹목적인 순종을 요구하는 혈연적 인연이라는 것, 사소한 형식의 틀에 묶인 조직의 일원이라는 것, 신체에 걸쳐진 모든 것에 따르는 납세의 의무를 다해야 한다는 것, 일개의 명예라도 얻어 남부럽지 않게 지상에 군림하고자 하는 욕망이라는 것 등에 의해 일찌감치 구속된 이 생애를 탈피할 여력은 어디에서도 발견되지 않는다.

생애의 잠깐, 아주 잠깐 오직 자연만의 고적한 경과 속에 자신을 묻어두고자 훌쩍 길을 떠나 깊은 산기슭 숲속 어디에선가, 개울가 어디에선가 홀로 야영 생활을 하고 있어 보라. 우선 뛰어날 정도로 신고 정신이 투철한 우리의 국민성을 겪는 일과 무엇을 해야 할지 막연한 한낮의 무료함. 그리고 물줄기 흐르는 계곡의 여기저기에서 나타나는 밤의 이상스러운 속삭임에서 벗어나는 일, 이런 자질구레한 일에 모든 마음을 빼앗기고 있는 자신만을 발견한 채 금방 사회 속으로 뛰쳐나오고 말리라!

그러나 고적은 거기에 있다. 사회적인 냄새가 전혀 나지 않는 묵묵히 성장하는 나무들이나 말 없는 바위, 소멸의 노래 같은 소쩍새 울음, 고요한 일출과 일몰의 태양, 무심히 유랑하는 바람과 물줄기 등에서 고적은 어린아이의 깊은 잠처럼 신성하고 정당한 표정을 짓고 있다. 단지 유유히 흘러가는 시간 속에 나 자신을 오래도록 유지할 수 없는 상황이 그 빛을 가릴 뿐이다. 고적의 신성한 연극은 단

고적을 찾아서

편극이 아니다.

나는 열렬히 고적 일부가 되기를 바란다. 오랜 소망이었으나 아직도 이루지 못한, 인적이 없고 침묵이 있는 곳에 인생의 요람을 만들고 싶은 것이다. 단 한 번도 시선을 떼어본 적이 없는 산기슭이나 강기슭, 또는 고요한 호숫가의 호젓한 오두막집을 천국으로 여긴다. 거의 모든 사람의 천국보다도 훨씬 작고 초라할 테지만, 나의 경지로써 오를 천국은 틀림없이 그곳뿐이다. 그곳에서 나는 신과 인간, 그리고 야속한 사회로부터 떨어져 있는 사실만으로도 크나큰 만족을 느낄 것이다.

이렇게 되면 나에겐 오두막을 갖는 일이 무엇보다도 필요하다. 그러나 내버려진 땅은 없고, 내버려진 집은 없다. 이쪽 땅은 서울 사람의 소유이고, 저쪽 집은 부산 사람의 소유이다. 땅은 잡초의 터전으로 방치되고, 집은 가루가 되어 주저앉아도, 그것은 그들의 재산이며 부귀의 가치이다. 또 아니면 오두막에 걸맞은 아름답고 호젓한 모든 땅, 모든 집은 대부분 보전구역, 보호지역, 군사지역 등 갖은 행정적 규제가 거미줄처럼 얽혀 있다. 이쯤 되면 소시민이며 무일푼인 나로서는 이 땅에 잘못 태어났음이 틀림없고, 그 불운한 처지를 푸념하기에 충분하다. 물론 재산을 축적하지 못한 나 외에 그 무엇을 탓할 수는 없다. 그래도 생각하자면―지구 위의 모든 땅, 모든 국가에도 나름대로 제약이 있겠으나, 나의 이 조그만 조국보다야 더

고적을 찾아서

하겠는가.

이따금 세계지도를 펼쳐놓는다. 그리고 자연의 아름다운 경지를 무일푼으로도 소유할 수 있고, 소유에 따르는 조직 사회의 절차나 규제가 전혀 미치지 않는, 그야말로 천혜의 기적처럼 자유롭게 자연의 재산을 소유할 수 있는 대지를 찾아 여행해 본다.

아마존 유역이나 콜로라도강의 어느 강변, 앙골라의 밀림지대나 히말라야산맥의 어느 기슭, 스위스 고원지대의 천연 호숫가나 중국의 계림 같은 지역 어딘가는 필경 그 무엇도 제약받지 않을 전인미답의 아름다운 풍경이 홀로 숨어있을 것이다. 그런 곳이라면 나는 대뜸 눈물을 흘리며 오랜 땀 냄새가 밴 배낭을 내려놓을 것이다. 그리고 비로소 마지막 정착을 위한 오두막을 통나무나 흙으로 정성스럽게 지어보는 것이다.

그러나 오두막을 짓는 일은 현실적인 소망이며, 세계의 지도를 따라 방랑하는 것은 이상적인 꿈이다. 제아무리 소망이 간절해도 불가능한 일을 기대할 수 있으랴. 고적한 곳을 찾아 오두막을 짓는 일이 내게는 현재로서 가장 신성한 예식일진대, 막막한 꿈으로 대륙과 대륙을 방랑할 수는 없는 일. 내 조국의 정밀한 지도로부터 언제나 탄식만을 얻고 나오지만, 그래도 나는 내 조국 어딘가에 언젠가 틀림없이 오두막을 짓고 싶은 것이다.

인적이 없는 곳이라면 틀림없이 고적하다. 아름다운 자연의 배경

고적을 찾아서

은 그 풍미를 더한다. 텅 빈 들녘, 깊은 밤, 한 송이의 애처로운 들꽃도 고적을 나타내기는 하지만, 그들의 고적은 시간과 오감의 극히 일부에 반영된다. 암스트롱이 달에 첫발을 내디딜 때, 그의 발 앞쪽에 아스라이 깊듯이 펼쳐진 영원한 정적의 감응도 고적일 테지만, 완전한 죽음 같은 그런 고적을 취할 바는 아니다.

계절의 풍상 속에 다채로운 물상들이 시시각각 넘나드는 우주의 전체성이 있는 곳, 거기서 나타나는 고적 속에 나는 비로소 오두막을 짓고 영구히 자라나고 싶은 것이다. 오두막이 지어진 곳에서는 씨앗을 뿌려놓고 파란 싹이 돋아나기를 기대하는 일과 대양과 대륙으로 불어 가는 바람 속에 꿈으로 만들어진 기도의 편지를 띄워 날리는 일밖에 달리 할 일이 없을 것이다. 그러나 나에게는 그것만이 희망이다.

물론 모든 사람에게도 똑같은 희망이었으면 하지만, '사회적 동물'이라는 것에 추호도 의심이 없는 여전히 기세 좋은 열정적인 사람들의 비난을 감수할 정도로 완곡한 주장을 펼칠 바는 아니다. 만약 이것에 대한 아쉬움이 있다면, 진정한 고적을 찾은 어느 날, 당신 운명의 귓전에 한 번쯤은 고적의 지혜를 고요히 낭송해 보리라! ♣

2024년 2월 5일
고운하

**고적을 찾아서**

# 색의 길

**발　행** | 2024년 2월 5일
**저　자** | 고운하(본명 김인현)
**펴낸이** | 한건희

편　집 | 고운하
디자인 | 고운하

**펴낸곳** | 주식회사 부크크
**출판사등록** | 2014.07.15.(제2014-16호)
**주　소** | 서울특별시 금천구 가산디지털1로 119 SK트윈타워 A동 305호
**전　화** | 1670-8316
**이메일** | info@bookk.co.kr

**ISBN** | 979-11-410-7047-2
**가 격** | 18,500원

www.bookk.co.kr